RÉFLEXIONS

QUOTIDIENNES

RÉFLEXIONS

RÉFLEXIONS

QUOTIDIENNES

Réflexions
de membres des AA
à l'intention
de tous les membres

Alcoholics Anonymous World Services, Inc., New York, N.Y.

Titre américain
DAILY REFLECTIONS

475 Riverside Drive,
New York, NY 10115, USA
www.aa.org

Publication approuvée par
la Conférence des Services généraux des AA

139e mille

ISBN 978-2-920203-08-2
Révisé 2004

5M 4/15 (DP) FB-12

RÉFLEXIONS
QUOTIDIENNES

AVANT-PROPOS

Réflexions Quotidiennes est né d'une recommandation de la Conférence des Services généraux de 1987. Depuis longtemps, les membres éprouvaient le besoin d'avoir à leur disposition une série de réflexions qui, un jour à la fois, couvriraient toute l'année civile.

Sur chaque page, sous la mention de la date, se trouve une citation tirée soit de sources comme Bill W. (*Les Alcooliques anonymes, Les Douze Étapes et les Douze Traditions, Le mouvement des AA devient adulte, Réflexions de Bill, Les meilleurs articles de Bill)* ou Dr Bob (*Dr Bob et les pionniers)*, soit d'autres documents approuvés par la Conférence des AA.

Chaque citation est suivie de la réflexion personnelle qu'elle inspire à un membre. À la suite d'une demande adressée à tous les membres de l'association, nous avons reçu plus de 1 300 textes. Ceux et celles dont les réflexions ont été choisies ne sont pas des écrivains de métier et ne parlent évidemment pas au nom de l'association, mais en leur nom. Chacun et chacune s'adresse personnellement à tous les membres.

À cause des textes soumis, le recueil tout entier

est axé sur notre triple héritage : rétablissement, unité et service. Il est conforme à notre préambule qui stipule que « Les AA ne sont associés à aucune secte, confession religieuse ou politique, à aucun organisme ou établissement. »

Dans l'avant-propos de *Réflexions de Bill*, l'auteur dit espérer que « ces textes aideront l'individu dans ses méditations, stimuleront les discussions dans les groupes et... entraîneront une lecture plus étendue de toutes nos publications. » Nous ne saurions trouver phrases mieux appropriées pour présenter *Réflexions quotidiennes.*

JE SUIS UN MIRACLE

Notre vie est maintenant centrée sur la certitude absolue que le Créateur est entré dans nos cœurs et dans nos vies par miracle. Il a commencé à faire pour nous des choses que nous n'aurions jamais pu réussir par nous-mêmes.

LES ALCOOLIQUES ANONYMES, P. 29

Un miracle s'est vraiment produit dans ma vie. J'ai toujours cru en Dieu sans jamais pouvoir donner un sens à cette foi. Aujourd'hui, grâce aux Alcooliques anonymes, j'ai foi et confiance en Dieu tel que je le conçois. Si je suis abstinent aujourd'hui, c'est parce que j'ai appris à avoir foi et confiance en Dieu. Seul, je n'y serais jamais parvenu. Je crois aux miracles, car j'en suis un !

D'ABORD, LES FONDATIONS

L'abstinence est-elle le seul fruit que nous puissions attendre d'un réveil spirituel ? Non, l'abstinence n'est qu'un simple début.

RÉFLEXIONS DE BILL, P. 8

Mettre le programme des AA en pratique, c'est construire une maison. Il faut d'abord couler un grand carré de béton épais ; c'est ce que j'ai fait en cessant de boire. Mais il n'est pas très confortable de vivre sur un sol de béton, sans protection contre la chaleur, le froid, le vent et la pluie. J'ai donc construit une première pièce en commençant à mettre le programme en pratique. Cette pièce n'était pas très solide car je n'étais pas habitué à ce travail. Mais avec le temps, à force de pratiquer le mode de vie, j'ai appris à construire de meilleures pièces. Plus j'ai progressé, plus le foyer que j'habite aujourd'hui est devenu confortable et heureux.

L'IMPUISSANCE

Nous avons admis que nous étions impuissants devant l'alcool – que nous avions perdu la maîtrise de notre vie.

LES DOUZE ÉTAPES ET LES DOUZE TRADITIONS, P. 23

La toute première Étape ne mentionne pas l'impuissance par hasard. Admettre son impuissance devant l'alcool, c'est faire le premier pas sur la voie du rétablissement. J'ai appris que je n'ai pas le pouvoir et la maîtrise que j'ai déjà cru posséder. Je ne contrôle ni l'opinion que les gens se font de moi, ni l'autobus que je viens de rater, ni la manière dont les autres mettent (ou ne mettent pas) les Étapes en pratique. Par contre, j'ai aussi appris qu'il y a certaines choses devant lesquelles je ne suis pas impuissant. Je ne suis pas impuissant devant mes attitudes. Je ne suis pas sans pouvoir sur mon esprit négatif. Je ne suis pas impuissant lorsqu'il s'agit d'assumer la responsabilité de mon rétablissement. J'ai le pouvoir d'exercer une influence positive sur moi-même, sur ceux que j'aime et sur le monde dans lequel je vis.

PARTOUT OÙ JE SUIS

Nous croyons que d'arrêter de boire n'est que le début. Il est encore plus important de mettre nos principes à l'œuvre dans nos propres foyers, dans nos activités et notre travail.

LES ALCOOLIQUES ANONYMES, P. 22

Il m'est habituellement assez facile d'être aimable avec mes frères et sœurs AA. Tout en travaillant au maintien de ma sobriété, je célèbre en leur compagnie notre délivrance commune de l'enfer de l'alcool. Souvent, il n'est pas si difficile de répandre la bonne nouvelle parmi mes amis, anciens et nouveaux, dans le mouvement.

À la maison et au travail, par contre, c'est parfois une tout autre histoire. C'est là que surgissent des situations où les petites frustrations quotidiennes sont les plus évidentes et où il peut être difficile de sourire, de dire un mot gentil ou de prêter une oreille attentive. C'est à l'extérieur des salles de réunion AA que je subis le véritable test d'efficacité de ma pratique des Douze Étapes.

LA PLEINE ACCEPTATION

Il ne peut imaginer la vie sans alcool. Un jour viendra où il sera incapable d'imaginer la vie ni avec, ni sans l'alcool. Alors il connaîtra la solitude comme bien peu de gens la connaissent. Il se trouvera au bord du gouffre. Il souhaitera en finir avec la vie.

LES ALCOOLIQUES ANONYMES, P. 171

Seul un alcoolique peut comprendre le sens exact d'une telle affirmation. Le dilemme dans lequel je me sentais emprisonné lorsque je buvais me remplissait de terreur et de confusion. J'étais coincé entre : « Il me faut un verre sinon je vais mourir » et « SI je continue, l'alcool finira par me tuer ». Ces deux obsessions me faisaient descendre de plus en plus bas chaque jour. Et c'est en touchant le fond que j'en suis venu à la *pleine* acceptation de mon alcoolisme, sans réserve aucune – une acceptation absolument indispensable à mon rétablissement. Je n'avais jamais été confronté à un dilemme si angoissant mais comme je m'en suis rendu compte par la suite, il était nécessaire à ma réussite dans le programme.

LA CAPITULATION, UNE VICTOIRE

Nous nous rendons compte que seule la défaite totale peut nous permettre de nous engager sur la voie de la liberté et de la force. L'aveu de notre impuissance se transforme en solides fondations sur lesquelles nous pouvons construire une vie heureuse et utile.

LES DOUZE ÉTAPES ET LES DOUZE TRADITIONS, P. 23

Quand l'alcool s'est mis à influer sur toutes les facettes de ma vie, quand la bouteille est devenue le symbole de ma complaisance et de mon attitude permissive envers moi-même, quand je me suis aperçu que, tout seul, je ne pouvais rien contre la puissance de l'alcool, j'ai dû admettre que je n'avais plus qu'un recours : capituler. Dans la capitulation, j'ai trouvé la victoire. Victoire sur ma complaisance envers moi-même, victoire sur mon entêtement à résister à la vie telle qu'elle m'avait été donnée. Après avoir cessé de me battre con-tre tout et contre tous, je me suis retrouvé sur le sentier de la sobriété, de la sérénité et de la paix.

À UN TOURNANT

Les demi-mesures ne nous ont rien donné. Nous nous trouvions à un tournant de notre vie. Nous avons demandé Sa protection et Son aide et nous nous sommes abandonnés à Lui complètement.

LES ALCOOLIQUES ANONYMES, P. 66

Tous les jours, je me retrouve à un tournant. Mes pensées et mes actions peuvent me propulser vers la croissance ou me ramener en arrière, sur la route des vieilles habitudes et de l'alcool. Parfois, les tournants sont des débuts, comme lorsque je décide de féliciter quelqu'un plutôt que de le condamner, ou lorsque je commence à demander de l'aide plutôt que de vouloir m'en sortir seul. D'autres fois, les tournants sont des fins, comme quand je vois qu'il est temps de cesser de couver ma rancœur ou mon égoïsme paralysant. Chaque jour, mes défauts tentent de se manifester, ce qui me donne de nombreuses occasions d'en prendre conscience. Ils surgissent tous sous une forme ou sous une autre : culpabilité, colère, fuite, orgueil, désir de vengeance, folie des grandeurs.

Les demi-mesures que j'adopte pour éliminer ces défauts ne peuvent que freiner mes efforts de changement. Ce n'est que lorsque je demande l'aide d'une Puissance supérieure et que je m'abandonne complètement que j'obtiens la volonté et la capacité de changer.

AI-JE LE CHOIX ?

Nous sommes forcés de reconnaître que la plupart d'entre nous, alcooliques, pour une raison inconnue, avons perdu notre liberté de choix devant l'alcool ; notre volonté n'existe à peu près plus.

LES ALCOOLIQUES ANONYMES, P. 27

Mon impuissance devant l'alcool ne disparaît pas lorsque je cesse de boire. Même abstinent, je continue de ne pas avoir le choix. Je ne peux pas boire.

Par contre, j'ai un autre choix, celui de me servir du « coffre d'outils spirituel » (Gros Livre, p. 29). Quand je prends ce « coffre » une Puissance supérieure compense l'absence de choix et me garde abstinent un jour de plus. Si j'avais le choix de ne pas prendre un verre aujourd'hui, pourquoi aurais-je besoin des AA et d'une Puissance supérieure ?

UN ACTE PROVIDENTIEL

Il est vraiment intolérable d'admettre que nous avons pu, le verre à la main, nous fausser l'esprit au point d'être hantés par une telle obsession destructrice de boire que seul un acte de la Providence pourrait nous en libérer.

LES DOUZE ÉTAPES ET LES DOUZE TRADITIONS, P. 23

Dans mon cas, l'acte providentiel (manifestation de la présence attentive d'une Puissance supérieure qui nous guide) est survenu lorsque j'ai constaté que mon alcoolisme m'avait conduit à la faillite. J'avais perdu tout ce qui comptait pour moi. J'ai téléphoné aux Alcooliques anonymes et depuis cet instant, ma vie s'est transformée. En re-pensant à ce moment très spécial, je m'aperçois que Dieu avait commencé à agir dans ma vie bien avant que je sois capable de reconnaître et d'accepter ses concepts spirituels. Grâce à cet acte providentiel, j'ai déposé mon verre et entrepris mon voyage vers la sobriété. Ma vie continue de se dérouler sous la gouverne et les bons soins d'une Puissance supérieure. J'ai admis que j'étais impuissant devant l'alcool, que j'avais perdu la maîtrise de ma vie, et cette Première Étape prend pour moi tout son sens – un jour à la fois – au sein du mouvement secourable et vivifiant des Alcooliques anonymes.

L'UNION FAIT LA FORCE

Nous avons appris à accepter, jusqu'au plus profond de notre être, que nous étions alcooliques. C'est la première étape vers le rétablissement. Toute illusion que nous sommes comme les autres ou qu'un jour nous le deviendrons doit être dissipée.

LES ALCOOLIQUES ANONYMES, P. 34

Je suis venu chez les Alcooliques anonymes parce que je ne pouvais plus contrôler ma consommation d'alcool. Peut-être que ma femme se plaignait de mon alcoolisme, ou que le tribunal m'a forcé à assister aux réunions des AA, ou que dans mon for intérieur, je savais que je ne pouvais pas boire comme les autres, mais je ne voulais pas l'admettre parce que l'alternative me terrifiait. Alcooliques anonymes est un mouvement d'hommes et de femmes qui unissent leurs efforts pour lutter contre une maladie commune et mortelle. La vie de chacun est liée à celle des autres, un peu comme des naufragés qui se retrouvent sur un radeau en pleine mer ; si nous unissons nos efforts, nous pouvons arriver à bon port.

L'ÉTAPE DU CENT POUR CENT

Seule la Première Étape, où nous avons admis à cent pour cent notre impuissance devant l'alcool, peut être pratiquée à la perfection.

LES DOUZE ÉTAPES ET LES DOUZE TRADITIONS, P. 79

Bien avant de devenir abstinent chez les AA, je savais sans l'ombre d'un doute que l'alcool était en train de me tuer ; mais même en sachant cela, j'étais incapable d'arrêter de boire. Alors, face à la Première Étape, je n'ai pas eu de mal à admettre que j'étais incapable de ne pas boire. Mais est-ce que j'avais perdu la maîtrise de ma vie ? Absolument pas ! Cinq mois après mon entrée chez les AA, j'avais recommencé à boire et je me demandais pourquoi.

Plus tard, de retour chez les AA et assagi par ma cuisante expérience, j'ai appris que la Première Étape est la seule qui puisse être intégralement mise en pratique et que la seule façon de le faire, c'est de l'appliquer à cent pour cent. Il s'est passé bien des vingt-quatre heures depuis et je n'ai jamais eu à refaire la Première Étape.

ACCEPTER

Notre tout premier problème est d'accepter notre situation telle qu'elle est, de nous accepter tels que nous sommes et d'accepter ceux qui nous entourent comme ils sont. Ceci afin d'adopter une attitude d'humilité réaliste, sans laquelle aucun progrès véritable ne peut commencer. Il nous faudra constamment retourner à ce point de départ peu flatteur. C'est un exercice d'acceptation que nous pouvons pratiquer avec profit chaque jour de notre vie.

Pourvu que nous évitions avec soin de transformer cet inventaire réaliste de notre vie en une recherche fantaisiste d'alibis pour couvrir notre défaitisme ou notre inactivité, un tel inventaire peut devenir la source d'une saine émotivité et, par conséquent, de notre progrès spirituel.

RÉFLEXIONS DE BILL, P. 44

Quand j'ai de la difficulté à accepter les gens, les lieux et les événements, je relis ce passage et je me sens libéré de toutes les peurs que m'inspirent les autres ou les situations dans lesquelles me place la vie. Cette réflexion me permet de me considérer comme un être humain toujours imparfait, et de recouvrer ma paix d'esprit.

ON NE GUÉRIT PAS DU JOUR AU LENDEMAIN

Nous ne sommes pas guéris de l'alcoolisme ; nous bénéficions seulement d'un sursis quotidien, lequel dépend du maintien de notre forme spirituelle.

LES ALCOOLIQUES ANONYMES, P. 96

Le fantasme le plus courant chez les alcooliques semble être celui-ci : « Pourvu que je ne boive pas, tout ira bien. » Quant à moi, une fois que le brouillard s'est dissipé, j'ai pu voir pour la première fois le gâchis qu'était devenue ma vie. J'avais des problèmes familiaux, professionnels, financiers et juridiques ; je m'accrochais encore à de vieux préjugés religieux ; j'avais tendance à fermer les yeux sur certains aspects de ma personnalité, car ils auraient facilement pu me convaincre que j'étais un cas désespéré et qu'il ne me restait plus qu'à m'évader, encore une fois. Le Gros Livre m'a guidé dans la solution de tous mes problèmes. Mais cela ne s'est pas fait du jour au lendemain, automatiquement et sans efforts de ma part. Je dois toujours reconnaître la clémence et la grâce de Dieu qui me soutiennent dans tous les problèmes auxquels je fais face.

VIVRE SANS REGRETS

Nous ne regretterons pas plus le passé que nous ne voudrons l'oublier.

LES ALCOOLIQUES ANONYMES, P. 94

Après avoir cessé de boire, j'ai commencé à voir à quel point j'avais gaspillé ma vie et j'ai éprouvé énormément de culpabilité et de regrets. Les Quatrième et Cinquième Étapes du programme des AA ont beaucoup contribué à apaiser ces regrets accablants. J'ai appris que mon égocentrisme et ma malhonnêteté découlaient en grande partie de mon habitude de boire, et que je buvais parce que j'étais alcoolique. Aujourd'hui, je vois com-ment mes expériences passées, même les plus détestables, peuvent servir au bien car je peux, comme alcoolique abstinent, en faire part à mes frères et sœurs alcooliques, surtout aux nouveaux, afin de les aider. Après plusieurs années d'abstinence chez les AA, je ne regrette plus le passé. Je me sens simplement reconnaissant d'avoir pris conscience de l'amour de Dieu et de l'aide que je peux apporter aux autres dans le mouvement.

DES RESSOURCES INTÉRIEURES INSOUPÇONNÉES

À quelques exceptions près, nos membres s'aperçoivent qu'ils ont découvert des ressources intérieures insoupçonnées qui deviennent pour chacun d'eux leur conception d'une Puissance supérieure.

LES ALCOOLIQUES ANONYMES, P. 634

Dès mes premiers jours chez les AA, alors que je luttais pour devenir abstinent, j'ai trouvé de l'espoir dans ces mots de nos fondateurs : « ils ont découvert des ressources intérieures insoupçonnées ». Je me demandais comment je pouvais trouver en moi la Puissance, puisque je suis si impuissant. Avec le temps, comme l'avaient promis les fondateurs, j'ai compris que j'ai toujours eu le choix entre le bien et le mal, entre la générosité et l'égoïsme, entre la sérénité et la peur. Cette Puissance supérieure est un cadeau inné que je n'ai pas su reconnaître tant que je n'ai pas réussi à vivre abstinent jour après jour grâce aux Douze Étapes des AA.

TOUCHER LE FOND

Pourquoi tant insister sur la nécessité pour chaque membre des AA de toucher le bas-fond ? Parce que sinon, bien peu de gens entreprendront sincèrement de mettre en pratique le programme des AA. La pratique des onze autres Étapes des AA oblige à des attitudes et à des gestes que ne sauraient imaginer la plupart des alcooliques qui boivent encore.

LES DOUZE ÉTAPES ET LES DOUZE TRADITIONS, P. 26

Quand j'ai touché le fond, j'ai ouvert les yeux et j'ai voulu essayer quelque chose de différent. J'ai donc essayé les AA. Adopter une nouvelle vie dans le mouvement, c'était un peu comme apprendre à faire de la bicyclette : les AA étaient à la fois les petites roues d'appui et la main secourable. Ce qui importait à l'époque, ce n'était pas tellement de recevoir de l'aide, c'était tout simplement de ne plus jamais avoir aussi mal. Mon désir d'éviter de toucher le fond une seconde fois était plus fort que mon désir de boire. Au début, c'est ce qui me gardait abstinent. Mais après un certain temps, je me suis mis à pratiquer les Étapes du mieux que je le pouvais. Je me suis vite rendu compte que mes attitudes et ma conduite changeaient, de façon à peine perceptible parfois. Un jour à la fois, je me suis mis à me sentir à l'aise avec moi-même et avec les autres, et ma souffrance a commencé à s'apaiser. Merci à Dieu pour les petites roues d'appui et la main secourable que j'appelle Alcooliques anonymes.

LE BONHEUR

... Notre problème à nous, les alcooliques, c'est que nous exigions du monde qu'il nous donne ce bonheur et cette paix d'esprit de la façon précise que nous avions choisie de les obtenir – par l'alcool. Et nous n'arrivions à rien. Mais quand nous prenons le temps de chercher certaines lois spirituelles, de nous familiariser avec elles et de les mettre en pratique, alors nous trouvons le bonheur et la tranquillité d'esprit... Bien sûr, il y a quelques règles à observer, mais le bonheur et la paix d'esprit nous attendent, offerts à chacun.

DR. BOB ET LES PIONNIERS, P. 308

La simplicité du programme des AA m'enseigne que le bonheur n'est pas quelque chose que je peux « exiger ». Le bonheur surgit doucement en moi lorsque je sers les autres. En tendant la main à une personne qui vient d'entrer dans le mouvement ou qui a eu une rechute, je m'aperçois que je refais le plein, pour ma propre sobriété, d'une gratitude et d'un bonheur indescriptibles.

UN VERRE FERAIT-IL DU BIEN ?

En revenant sur notre passé de buveurs, nous pouvions démontrer que nous avions perdu le contrôle bien avant de nous en rendre compte, que même alors, boire était plus qu'une simple habitude : c'était en fait le début d'une progression fatale.

LES DOUZE ÉTAPES ET LES DOUZE TRADITIONS, P. 26

À l'époque où je buvais encore, j'étais incapable de réagir aux situations de la vie comme le font des gens sains. Le moindre incident me mettait dans un état d'esprit qui me poussait à croire que j'avais besoin d'un verre pour engourdir mes sentiments. Mais comme cet engourdissement n'améliorait pas la situation, je cherchais à fuir encore davantage dans l'alcool. Aujourd'hui, je dois rester conscient de mon alcoolisme. Je ne peux pas me permettre de croire que j'ai recouvré la maîtrise de ma façon de boire, sinon je vais penser que j'ai recouvré la maîtrise de ma vie, et un tel sentiment serait fatal pour mon rétablissement.

LA FOI VINGT-QUATRE HEURES SUR VINGT-QUATRE

La foi doit accomplir son œuvre vingt-quatre heures sur vingt-quatre en nous et par nous, ou nous périrons.

LES ALCOOLIQUES ANONYMES, P. 18

Ma spiritualité et ma sobriété reposent sur ma foi en une Puissance supérieure, vingt-quatre heures sur vingt-quatre. Dans toutes mes activités quotidiennes, j'ai besoin de me rappeler le Dieu que je conçois et de me fier à lui. Comme il est réconfortant pour moi de penser que Dieu agit dans et par les gens. Quand je fais une pause durant la journée, est-ce que je me rappelle des exemples précis et concrets de la présence de Dieu ? Est-ce que je suis étonné et fortifié en voyant le nombre de fois où cette Puissance se manifeste ? Je déborde de gratitude pour l'action de Dieu dans mon rétablissement. Sans cette force toute-puissante dans chacune de mes activités, je retomberais dans les profondeurs de ma maladie – dans la mort.

« NOUS FAISONS UNE PAUSE... ET NOUS DEMANDONS... »

Au cours de la journée, nous faisons une pause lorsque l'agitation et le doute s'emparent de nous pour demander d'avoir la bonne pensée ou la bonne action.

LES ALCOOLIQUES ANONYMES, P. 99

Aujourd'hui, je demande humblement à ma Puissance supérieure la grâce de séparer mes impulsions de mes actions, de laisser passer une brise rafraîchissante quand je m'apprête à réagir trop vivement, de remplacer ma virulence par une douceur paisible, de reconnaître le moment où jugement devient discernement, de me réfugier dans le silence quand ma langue est pressée d'attaquer ou de défendre.

Je promets de profiter de la moindre occasion pour me tourner vers ma Puissance supérieure afin de savoir comment agir. Je sais où se trouve cette Puissance ; elle est en moi, claire comme un ruisseau de montagne, cachée dans les replis de mon cœur – c'est la Ressource intérieure insoupçonnée.

Je rends grâce à ma Puissance supérieure pour le monde de lumière et de vérité que je vois, quand je lui permets de diriger mon regard. Je lui fais confiance aujourd'hui et j'espère qu'elle me fait confiance, sachant que je fais de mon mieux pour chercher la bonne pensée ou la bonne action de la journée.

AU SERVICE DE MON FRÈRE ET DE MA SŒUR

Le membre parle au nouveau non pas dans une position de puissance, mais dans un esprit d'humilité et de faiblesse..

LE MOUVEMENT DES AA DEVIENT ADULTE, P. 285

À mesure que je persévère chez les AA, je demande à Dieu de guider mes pensées et mes paroles. Dans mon travail constant au sein du mouvement, j'ai de nombreuses occasions de prendre la parole. C'est pourquoi je demande souvent à Dieu de m'aider à surveiller mes pensées et mes paroles pour qu'elles soient le reflet exact de notre programme ; de concentrer mes aspirations une fois de plus sur la recherche de sa direction ; de m'aider à être vraiment bon et aimant, serviable et apaisant, mais toujours rempli d'humilité et sans jamais aucune trace d'arrogance.

Aujourd'hui, il se peut que j'aie à affronter des attitudes ou des paroles désagréables – comportement typique de l'alcoolique qui souffre encore. Si cela se produit, je prendrai un moment pour me mettre en présence de Dieu, afin de pouvoir répondre avec calme, fermeté et délicatesse.

« UNE ENTREPRISE SIMPLE »

Quelques heures plus tard, j'ai quitté Dr Bob... Il avait ce bon vieux et large sourire en disant presque à la blague : « Souviens-toi, Bill, ne gâchons pas cette chose. Gardons-la simple ! » Je me suis retourné, incapable de dire un mot. C'était la dernière fois que je le voyais.

LE MOUVEMENT DES AA DEVIENT ADULTE, P. 222

Après des années d'abstinence, je me demande parfois : « Est-ce que c'est vraiment si simple ? » Puis, dans les réunions, je vois des frères autrefois cyniques et sceptiques qui ont emprunté le sentier des AA pour sortir de l'enfer ; ils découpent leur vie, sans alcool, en segments de vingt-quatre heures pendant lesquels ils mettent en pratique quelques principes du mieux qu'ils le peuvent. Je constate alors une fois de plus que même si elle n'est pas toujours facile, l'entreprise marche parce qu'elle est simple.

REDÉCOUVRIR LA JOIE DE VIVRE ?

Mais nous ne sommes pas moroses pour autant. Si les nouveaux ne trouvaient aucune joie ou aucun plaisir dans notre existence, ils n'en voudraient pas. Nous tenons absolument à profiter de la vie. Nous tâchons de ne pas donner dans le cynisme devant la situation mondiale, ni de porter sur nos épaules les péchés du monde.

LES ALCOOLIQUES ANONYMES, P. 149

Lorsque ma maison est en ordre, je peux mieux gérer toutes les facettes de ma vie. Dépouillé de la culpabilité et du remords qui ont imprégné mes années de buveur, je suis libre d'assumer le rôle qui me revient dans l'univers. Mais ma maison demande de l'entretien. Je dois prendre le temps de me demander : « *Est-ce que je m'amuse maintenant* ? » Si j'ai du mal à répondre à cette question, c'est peut-être que je me prends trop au sérieux et que je trouve difficile d'admettre que je me suis égaré dans ma pratique du mode de vie en oubliant de garder ma maison en ordre. Je crois que la douleur que j'éprouve est un des moyens que ma Puissance supérieure utilise pour attirer mon attention et m'amener à faire l'inventaire de mes comportements. Il vaut la peine de consacrer un peu de temps et d'effort au programme, par exemple à un inventaire rapide ou encore à certaines corrections selon les besoins.

PARTICIPER

Il nous faut agir, toujours agir davantage, car « la foi sans les œuvres est une foi morte ». ...Notre seul but est de nous rendre utiles.

LES ALCOOLIQUES ANONYMES, P. 100

Je comprends que le service soit une partie essentielle du rétablissement mais je me demande souvent : « Que puis-je faire ? » Tout simplement commencer par les occasions qui se présentent aujourd'hui ! Regarder autour de moi et constater les besoins. Les cendriers sont-ils pleins ? N'ai-je pas des mains et des pieds pour aller les vider ? Et voilà que tout à coup je participe ! La personne qui parle le mieux fait peut-être du mauvais café ; celle qui s'entend le mieux avec les nouveaux est peut-être incapable de lire en public ; celle qui veut bien nettoyer la salle embrouille peut-être notre compte de banque. Pourtant, chacune de ces personnes et de ces tâches est indispensable au bon fonctionnement du groupe. Voilà bien le miracle du service ; si je me sers de mes talents, je découvre beaucoup plus de façons de servir que je n'en avais vues d'abord.

L'ENTRAIDE

Voici ce qui est vraiment dit à chaque buveur immodéré : « Dès que tu te dis toi-même membre des AA, tu l'es... personne ne peut te l'interdire. »

LES DOUZE ÉTAPES ET LES DOUZE TRADITIONS, P. 159

Pendant des années, chaque fois que je réfléchissais à la Troisième Tradition, (« Le désir d'arrêter de boire est la seule condition pour être membre des AA ») je croyais qu'elle ne valait que pour les nouveaux et les assurait que personne ne pourrait leur interdire la porte des AA. Aujourd'hui, je me sens à jamais reconnaissant de la croissance spirituelle que m'a apportée cette Tradition. Je ne recherche pas les personnes qui sont de toute évidence différentes de moi. En mettant l'accent sur la seule similitude que j'ai avec les autres, la Troisième Tradition m'amène à rencontrer et à aider toutes sortes d'alcooliques, comme ils m'ont aidé. Charlotte, qui est athée, m'a enseigné un meilleur code de morale et d'honneur ; Guy, qui est d'une autre race, m'a montré la patience ; Vincent, qui est homosexuel, m'a inspiré la vraie compassion par son exemple ; la jeune Mélanie dit que le fait de me voir aux réunions, avec trente ans d'abstinence, l'incite à revenir. La Troisième Tradition nous assure que nous trouverons ce dont nous avons besoin : l'entraide.

UNE HONNÊTETÉ RIGOUREUSE

Qui veut être parfaitement honnête et tolérant ? Qui tient à avouer ses fautes à une autre personne et à réparer le mal qu'il a fait ? Qui se soucie le moindrement d'une Puissance supérieure, sans parler de la méditation et de la prière ? Qui est prêt à sacrifier son temps et son énergie pour tenter de transmettre le message des AA à un autre alcoolique ? Non, l'alcoolique, généralement égoïste à l'extrême, n'a aucune inclination en ce sens – à moins d'y être obligé pour sauver sa propre vie.

LES DOUZE ÉTAPES ET LES DOUZE TRADITIONS, P. 26

Je suis alcoolique. Si je bois, je vais mourir. Quelle puissance, quelle énergie, quelle émotion cette simple déclaration suscite en moi ! C'est vraiment tout ce que j'ai besoin de savoir, aujourd'hui. Ai-je envie de vivre, aujourd'hui ? Suis-je prêt à vivre sans alcool, aujourd'hui ? Suis-je prêt à demander de l'aide, suis-je prêt à aider l'alcoolique qui souffre encore, aujourd'hui ? Ai-je découvert le caractère fatal de ma maladie ? Que dois-je faire pour demeurer abstinent, aujourd'hui ?

LIBRE DE TOUTE CULPABILITÉ

Lorsqu'il s'agissait des autres, il fallait, en paroles et en pensée, nous abstenir d'accuser.

LES DOUZE ÉTAPES ET LES DOUZE TRADITIONS, P. 55

Quand je suis disposé à admettre ma propre impuissance, je m'aperçois peu à peu que le fait de me blâmer moi-même pour tous les problèmes de ma vie peut devenir une complaisance égocentrique qui me rejette dans le désespoir. Par contre, en demandant de l'aide et en étant très attentif aux messages contenus dans les Étapes et les Traditions de notre programme, je peux transformer ces attitudes qui retardent mon rétablissement. Avant de me joindre aux AA, je recherchais tellement l'approbation des gens en place que j'étais prêt à me sacrifier, et à sacrifier les autres avec moi, afin de réussir. Je finissais toujours par échouer. Dans le mouvement, je trouve de vrais amis qui m'aiment, me comprennent et désirent m'aider à découvrir la vérité sur moi-même. Grâce aux Douze Étapes, je peux construire une vie meilleure, libre de toute culpabilité et du besoin de me justifier.

LE TRÉSOR DU PASSÉ

Montrer à ceux qui souffrent que la somme d'aide que nous avons reçu constitue la chose qui semble nous rendre la vie si précieuses aujourd'hui. Accrochez-vous à l'idée que, dans les mains de Dieu, votre noir passé est ce que vous possédez de plus précieux : la clé de la vie et du bonheur des autres. Avec cette clé, vous pourrez les sauver de la misère et de la mort.

LES ALCOOLIQUES ANONYMES, P. 140

Quel cadeau pour moi de constater que toutes ces années, qui semblaient perdues, n'ont pas été inutiles ! Mes expériences les plus dégradantes et les plus humiliantes se révèlent mes outils les plus puissants pour aider les autres à se rétablir. Ayant connu le fond de la honte et du désespoir, je suis en mesure de tendre une main aimante et compatissante, et je sais que je dispose de la grâce de Dieu.

LA JOIE DU PARTAGE

Vous trouverez un sens nouveau à la vie. Voir des gens se rétablir et apporter de l'aide aux autres, ne plus connaître la solitude, voir grandir un groupe autour de vous, avoir une foule d'amis, voilà une expérience à ne pas manquer. Nous croyons que vous ne voudrez pas laisser passer cette chance. Le contact fréquent avec les nouveaux et les autres, c'est ce qui illumine notre vie.

LES ALCOOLIQUES ANONYMES, P. 101

Savoir que tout nouveau ou toute nouvelle avec qui j'échange pourra connaître le même soulagement que moi dans le mouvement, me remplit de joie et de gratitude. Je sais que tout ce qui est décrit dans le Gros Livre finira par leur arriver, comme à moi, s'ils saisissent l'occasion et se consacrent pleinement au programme.

ÊTRE LIBÉRÉ ET ÊTRE LIBRE...

Nous connaîtrons une nouvelle liberté...

LES ALCOOLIQUES ANONYMES, P. 94

La liberté, pour moi, c'est être à la fois *libéré* et *libre*. Je suis d'abord *libéré* de l'esclavage de l'alcool. Quel soulagement ! Puis, je me sens progressivement *libéré* de la peur – la peur des gens, de l'insécurité économique, de l'engagement, de l'échec, du rejet. Ensuite, je commence à me sentir *libre*. Je suis *libre* de choisir d'être abstinent aujourd'hui, *libre* d'être moi-même, *libre* d'exprimer mon opinion, d'avoir l'esprit en paix, d'aimer et d'être aimé, *libre* de grandir spirituellement. Mais comment atteindre à toute cette liberté ? Il est dit dans le Gros Livre qu'avant d'avoir reconnu même la moitié de mes torts, je découvrirai une liberté « nouvelle » ; il ne s'agit pas de l'ancienne liberté de faire ce qui me plaisait, sans égards pour les autres, mais de cette nouvelle liberté qui me permet de vivre pleinement ma vie. Quelle joie d'être libéré et d'être libre !

NOTRE BIEN-ÊTRE COMMUN D'ABORD

Chez les Alcooliques anonymes, l'unité est notre valeur la plus précieuse... Ou nous restons unis, ou l'association est condamnée à mourir.

LES DOUZE ÉTAPES ET LES DOUZE TRADITIONS, P. 147

Nos Traditions sont des éléments clés pour abaisser notre ego et pouvoir ainsi devenir abstinents et le rester. La Première Tradition me rappelle que je ne dois pas m'allouer le mérite de ma sobriété ou m'en servir pour imposer mon autorité. En mettant le bien-être commun au premier plan, j'évite de me prendre pour un guérisseur chez les AA ; je fais toujours partie des patients, et l'« hôpital » a été construit par d'anciens membres qui savaient s'effacer. Sans eux, je crois que je serais mort. Sans le groupe, peu d'alcooliques se rétabliraient.

Parce que je renonce volontairement à ma volonté, je ne sens plus le besoin de dominer et le désir d'être reconnu, deux choses qui comptaient tellement à l'époque où je buvais. Mettre de côté mes désirs personnels pour le plus grand bien et la croissance du groupe, c'est contribuer à l'unité des AA, indispensable à tout rétablissement. Cette pensée m'aide à me rappeler que le tout est plus grand que la somme des parties.

POUR RECOUVRER LA RAISON

Aussitôt, en douceur et petit à petit, la Deuxième Étape a commencé à s'infiltrer dans ma vie. Je ne puis préciser dans quelle circonstance ni à quel jour je me suis mis à croire en une Puissance supérieure à moi-même, mais aujourd'hui, il est certain que cette foi, je l'ai.

LES DOUZE ÉTAPES ET LES DOUZE TRADITIONS, P. 30-31

« Nous en sommes venus à croire ! » J'affichais ma foi quand j'en avais envie ou quand je voulais sauver les apparences, mais je n'avais pas vraiment confiance en Dieu. Je ne croyais pas qu'il s'occupait de moi. Je persistais à essayer de changer ce que je ne pouvais pas changer. Puis peu à peu, écœuré, j'ai fait volte-face. Je lui disais : « Puisque tu es tout-puissant, occupe-toi de ça. » Et c'est ce qu'il a fait. J'ai commencé à recevoir des réponses à mes problèmes les plus graves, parfois à des moments inattendus comme en me rendant au travail, en mangeant ou en dormant. Je me suis rendu compte que ces solutions ne venaient pas de moi mais qu'elles m'étaient fournies par une Puissance supérieure. J'en suis venu à croire.

CAPITULER POUR ÊTRE SECOURU

Ce qui caractérise l'alcoolique type est un fond narcissique et égocentrique, dominé par une impression d'omnipotence, prêt à tout pour se protéger... Intérieurement, l'alcoolique n'accepte aucune forme de contrôle, humaine ou divine. L'alcoolique est et doit demeurer maître de sa destinée. Il se battra à mort pour défendre cette position.

LE MOUVEMENT DES AA DEVIENT ADULTE, P. 319

La question suivante est pour moi un grand mystère : « Pourquoi certains d'entre nous meurent-ils d'une mort alcoolique, luttant pour préserver l'« indépendance » de leur ego, alors que d'autres semblent devenir abstinents sans effort chez les AA ? » Une Puissance supérieure m'a aidé en me faisant cadeau de la sobriété le jour où mon désir, inexplicable autrement, de cesser de boire a coïncidé avec mon désir d'accepter les suggestions que me faisaient les membres des AA. J'ai dû capituler, car c'est seulement en me tournant vers Dieu et mes frères et sœurs AA que je pouvais être secouru.

REMPLIR LE VIDE

Nous n'avions qu'une petite question à nous poser : « Est-ce que je crois ou veux croire en l'existence d'une Puissance supérieure à moi-même ? » Aussitôt qu'un homme peut affirmer qu'il croit, ou qu'il veut bien essayer de croire, pour nous, il se trouve incontestablement sur la bonne voie.

LES ALCOOLIQUES ANONYMES, P. 53

L'étude des principes scientifiques m'a toujours fasciné. Poursuivant la Connaissance absolue, je me suis éloigné des gens, émotivement et physiquement. Dieu et la spiritualité n'étaient que pures spéculations dénuées de sens. J'étais un homme de science moderne, et la connaissance était ma puissance supérieure. Exprimée dans les équations appropriées, la vie n'était guère plus qu'un autre problème à résoudre. Pourtant, mon moi intérieur se mourait de la solution qu'avait adoptée l'homme que j'étais à l'extérieur pour régler les problèmes de la vie, car cette solution était l'alcool. Malgré mon intelligence, l'alcool était devenu ma puissance supérieure. Ce n'est que grâce à l'amour inconditionnel qui émanait des membres et des groupes des AA que j'ai pu écarter l'alcool comme puissance supérieure. Le grand vide était rempli. Je n'étais plus seul, séparé de la vie. J'avais trouvé une vraie Puissance supérieure, j'avais trouvé l'amour de Dieu. Il n'y a plus qu'une équation qui compte pour moi, désormais : Dieu est dans les AA.

SANS LA FOI

La méthode des AA pose parfois plus de difficultés à ceux qui ont perdu ou rejeté la foi qu'à ceux qui ne l'ont jamais eue, car les premiers ont l'impression d'avoir déjà fait l'expérience de la foi sans obtenir les résultats attendus. Ils ont vécu un temps avec la foi et un temps sans la foi.

LES DOUZE ÉTAPES ET LES DOUZE TRADITIONS, P. 32

J'étais si sûr que Dieu m'avait trahi que j'ai fini par me rebeller, même si je savais que c'était inutile, et je me suis soûlé une dernière fois. Ma foi ne s'était pas transformée en amertume par hasard. Ceux qui ont déjà eu une grande foi touchent le fond plus durement. J'ai mis beaucoup de temps à ranimer ma foi, même après être entré dans les AA. Intellectuellement, j'étais réconforté d'avoir survécu à pareille chute, mais mon cœur demeurait insensible. Pourtant, j'ai persévéré dans le programme des AA ; je n'avais pas le choix, car les autres solutions étaient trop affreuses. J'ai continué à fréquenter les AA et, petit à petit, ma foi est ressuscitée.

UNE MERVEILLEUSE LIBÉRATION

Dès que j'ai cessé d'argumenter, j'ai pu commencer à voir et à ressentir. Aussitôt, en douceur et petit à petit, la Deuxième Étape a commencé à s'infiltrer dans ma vie. Je ne puis préciser dans quelle circonstance ni quel jour je me suis mis à croire en une Puissance supérieure à moi-même, mais aujourd'hui, il est certain que cette foi, je l'ai. Pour l'acquérir, il m'a suffi d'arrêter de me battre et d'appliquer le reste du programme des AA avec autant d'enthousiasme que possible.

LES DOUZE ÉTAPES ET LES DOUZE TRADITIONS , P. 30-31

Après avoir passé des années à vivre comme un déchaîné et comme un entêté, j'ai trouvé dans la Deuxième Étape une merveilleuse façon de me libérer de ma grande solitude. Il n'y a plus rien d'aussi pénible ou d'aussi insurmontable maintenant dans mon cheminement. Il se trouve toujours quelqu'un avec qui je peux partager les fardeaux de la vie. La Deuxième Étape m'a permis de renforcer mes liens avec Dieu, et je me rends compte que ma folie et mon ego allaient de pair ; pour me débarrasser de l'une, je dois abandonner l'autre à quelqu'un qui a les épaules beaucoup plus larges que les miennes.

UN POINT DE RALLIEMENT

Ainsi donc, la Deuxième Étape constitue notre point de ralliement à tous. Agnostiques, athées ou anciens croyants, nous pouvons tous nous y retrouver.

LES DOUZE ÉTAPES ET LES DOUZE TRADITIONS, P. 39

J'ai l'impression que le programme des AA est inspiré par Dieu et que Dieu est présent à toutes les réunions. Je vois, je crois et je sais que le mouvement marche parce que je suis demeuré abstinent aujourd'hui. Je confie ma vie aux AA et à Dieu lorsque j'assiste à une réunion. Si Dieu se trouve dans mon cœur et dans celui des autres, je deviens une petite partie d'un grand tout et je ne me pense plus unique. Si Dieu habite mon cœur et me parle par la voix des autres, alors Dieu doit pouvoir se servir de moi pour s'adresser aux autres. Si je fais sa volonté en vivant selon les principes spirituels, en échange je retrouverai la raison et la sobriété émotive.

UN SENTIER VERS LA FOI

L'humilité authentique et l'ouverture d'esprit peuvent nous conduire à la foi, et chaque réunion des AA nous offre l'assurance que Dieu nous rendra la raison si nous établissons avec Lui des rapports sains.

LES DOUZE ÉTAPES ET LES DOUZE TRADITIONS, P. 39

Ma dernière cuite m'avait mené à l'hôpital, complètement démoli. C'est là que j'ai pu voir mon passé défiler devant moi. Je me suis rendu compte que tous les cauchemars que j'avais pu faire étaient devenus réalité. Mon entêtement et mon obsession face à l'alcool m'avaient mené au fond d'un trou noir, rempli d'hallucinations, de pertes de mémoire et de désespoir. Enfin vaincu, j'ai demandé à Dieu de m'aider. J'ai senti sa présence qui me demandait de croire. Je ne suis plus obsédé par l'alcool et ma paranoïa s'est évanouie. Je n'ai plus peur. Je sais que je mène une vie saine, physiquement et mentalement.

MAÎTRISER LE « VIEIL HOMME »

Même quand nous nous conformons ainsi, la joie et la paix continuent à nous échapper. Voilà le point où se retrouvent maintenant beaucoup de vieux membres, et c'est littéralement infernal. Comment pouvons-nous amener notre inconscient qui engendre encore tellement de peurs, de compulsions et d'aspirations insensées, à se conformer à ce que nous croyons, à ce que nous pensons et à ce que nous voulons réellement ? Comment persuader ce « M. Hyde » stupide et déchaîné qui se cache en nous ? Voilà notre principale tâche.

LES MEILLEURS ARTICLES DE BILL, P. 43

Assister régulièrement aux réunions, servir et aider les autres, c'est là une recette que beaucoup appliquent avec succès. Si je m'écarte de ces principes de base, mes vieilles habitudes refont surface et mon ancien moi reparaît avec toutes ses peurs et ses défauts. Le but ultime de tout membre des AA est l'abstinence permanente, vécue un jour à la fois.

« LE CÔTÉ SPIRITUEL »

Combien de fois, dans des réunions, n'entendons-nous pas le conférencier déclarer : « Mais il me manque encore l'aspect spirituel. » Pourtant, avant de faire cette affirmation, il a décrit une transformation intérieure miraculeuse, non seulement sa libération de l'alcool mais un changement d'attitude total devant la vie. Pour tous ceux qui l'écoutent, il semble évident qu'il a reçu un grand cadeau, « mais il ne semble pas le savoir. » Nous savons très bien qu'il cherche et que, dans six mois ou un an, il nous dira qu'il a trouvé la foi en Dieu.

LE LANGAGE DU CŒUR, P. 289-290

Une expérience spirituelle, ce peut être la réalisation que la vie, qui avait paru creuse et vide de sens, est maintenant pleine de joie et de plénitude. Dans ma vie, la prière et la méditation quotidiennes jointes à la pratique des Douze Étapes, me procurent aujourd'hui la paix intérieure et le sentiment d'appartenance qui me manquaient quand je buvais.

JE NE SUIS PAS LE METTEUR EN SCÈNE

Lorsque nous sommes devenus alcooliques, brisés par un malheur auto-imposé impossible à retarder ou à éviter, nous avons dû courageusement faire face à un choix : ou Dieu est toute chose, ou Il n'est rien ; ou Dieu existe, ou Il n'existe pas. Quel serait ce choix ?

LES ALCOOLIQUES ANONYMES, P. 60

Aujourd'hui je choisis Dieu. Il est tout, et cela me remplit de gratitude. Quand je me prends pour le metteur en scène, j'empêche Dieu d'intervenir dans ma vie. Je prie pour me souvenir de cette pensée quand je me laisserai reprendre par mon égoïsme. Ce qui compte le plus, aujourd'hui, c'est que je sois prêt à grandir selon des principes spi-rituels, et que Dieu est tout. Quand je tentais d'arrêter de boire tout seul, je ne réussissais jamais ; avec Dieu et les AA, ça marche. Voilà une pensée fort simple pour un alcoolique compliqué.

LES LIMITES DE L'AUTONOMIE

Nous nous sommes interrogés sur la cause de nos peurs. N'était-ce pas parce que notre auto-suffisance nous avait lâchés ?

LES ALCOOLIQUES ANONYMES, P. 76

Tous mes défauts me séparent de la volonté de Dieu. Quand je mets de côté mon association avec lui, j'affronte le monde et mon alcoolisme tout seul et je dois me débrouiller par mes propres moyens. Jamais je n'ai trouvé la sécurité et le bonheur en ne faisant qu'à ma tête ; tout ce que j'ai pu obtenir, c'est une vie de peur et de mécontentement. Dieu me montre le sentier qui me conduit à Lui, à la sérénité et au réconfort dont Il me gratifie. Mais je dois d'abord être disposé à reconnaître mes peurs et à comprendre leur cause et leur pouvoir sur moi. Je demande souvent à Dieu de m'aider à voir comment je m'éloigne de lui.

« LA SOURCE DE NOS PROBLÈMES »

Égoïsme et égocentrisme, c'est là, croyons-nous, la source de nos problèmes.

LES ALCOOLIQUES ANONYMES, P. 69

Comme il est étonnant de constater que le monde et tous ceux qui l'habitent peuvent très bien fonctionner avec ou sans moi. Quel soulagement de savoir que les gens, les lieux et les événements ne nécessitent aucunement ma gestion ou mes conseils. Et quel indicible bonheur d'en venir à croire qu'il existe une Puissance supérieure, complètement séparée de moi. Je crois que ce sentiment de séparation entre Dieu et moi s'évanouira un jour. En attendant, la foi doit être pour moi la voie qui me conduit au centre de ma vie.

IMPOSSIBLE D'ÊTRE SOBRE PAR LA PENSÉE

À l'homme ou à la femme qui, intellectuellement, se suffit à lui-même ou à elle-même, les AA peuvent dire : « Oui, nous étions comme vous – trop futés pour que cela nous aide »... Nous avions la secrète conviction de pouvoir flotter au-dessus du reste du monde par la seule puissance de notre intelligence.

RÉFLEXIONS DE BILL, P. 60

Même l'esprit le plus brillant ne peut rien contre la maladie de l'alcoolisme. Je ne peux pas devenir sobre seulement par la pensée. J'essaie de me souvenir que l'intelligence est une joie, un don que Dieu met à ma disposition, au même titre qu'un talent pour la danse, le dessin ou la menuiserie. Elle ne me rend pas meilleur que quiconque et ne constitue pas un outil vraiment sûr pour mon rétablissement ; c'est une Puissance supérieure qui me permet de recouvrer la raison et non un quotient intellectuel élevé ou un diplôme universitaire.

ATTENTES OU EXIGENCES ?

Il faut graver dans l'esprit de chaque alcoolique qu'il peut se rétablir indépendamment de qui que ce soit. La seule condition est de mettre sa confiance en Dieu et de mettre de l'ordre dans sa vie.

LES ALCOOLIQUES ANONYMES, P. 111

Les attentes constituent un sujet fréquemment discuté dans les réunions. Il est normal de s'attendre à progresser, à recevoir de bonnes choses dans la vie, à être bien traité par les autres. Par contre, ces attentes tournent mal quand elles deviennent des exigences. Il se peut que je ne sois pas à la hauteur de ce que je souhaite être, que les événements prennent une tournure que je n'aime pas, que les autres me laissent tomber parfois. Dans ces moments-là, que puis-je faire ? Pleurer de rage ou m'apitoyer sur mon sort ? Me venger et envenimer la situation ? Ou m'en remettre à la puissance de Dieu et le prier de combler de sa grâce le pétrin dans lequel je me retrouve ? Lui demander de m'indiquer ce que je dois apprendre ? Est-ce que je continue de bien faire ce que j'ai appris à faire, peu importe les circonstances ? Est-ce que je prends le temps de partager avec d'autres ma foi et les bienfaits que j'en retire ?

AGIR

Est-ce que ce sont là des promesses extravagantes ? Nous ne le croyons pas. Ces promesses se réalisent parmi nous parfois rapidement, parfois lentement. Mais elles se matérialisent toujours si nous travaillons dans ce sens.

LES ALCOOLIQUES ANONYMES, P. 95

L'une des choses les plus importantes que m'ont donnée les AA, à part la délivrance de l'alcool, c'est la capacité d'agir correctement. Il est dit que les promesses « se matérialisent *toujours* si nous *travaillons* dans ce sens ». Il ne sert à rien de se contenter de rêver, de discuter, de prêcher, de feindre. Je vais demeurer un pauvre alcoolique à jeun, plein de bonnes excuses. Par contre, si j'agis et si je mets en pratique les Douze Étapes partout où je suis, je mènerai une vie qui me comblera au-delà de toute attente.

ENGAGEMENT

La compréhension est la clef des principes et des comportements sains et l'action bien dirigée est la clef d'une vie droite...

LES DOUZE ÉTAPES ET LES DOUZE TRADITIONS, P. 143

À un moment donné, au cours de mon rétablissement, la troisième partie de la prière de la Sérénité – « la sagesse d'en connaître la différence » – s'est gravée à jamais dans mon esprit. À partir de ce jour, j'ai dû vivre en me demandant constamment si chacune de mes actions, de mes paroles, de mes pensées était ou non conforme au mode de vie. Je ne pouvais plus me cacher derrière des excuses ou prétexter ma maladie et ma folie. La seule voie pour atteindre une vie heureuse (pour moi, et donc pour ceux que j'aime) était de m'imposer l'effort de l'engagement, de la discipline et du sens des responsabilités.

J'AI VU L'AMOUR DANS LEURS YEUX

Or, il s'en trouve parmi nous qui refusons de croire en Dieu, d'autres qui ne le peuvent pas, et d'autres encore qui croient sans doute que Dieu existe mais doutent sincèrement qu'Il accomplira ce miracle.

LES DOUZE ÉTAPES ET LES DOUZE TRADITIONS, P. 28

En voyant des changements se produire chez les nouveaux et les nouvelles dans le mouvement, j'ai commencé à perdre mes peurs et à transformer mon attitude négative en une attitude positive. Je voyais l'amour dans leurs yeux et j'étais impressionné par l'importance qu'ils attachaient à leur sobriété vécue « un jour à la fois ». Ils avaient abordé honnêtement la Deuxième Étape et ils en étaient venus à croire qu'une Puissance supérieure pouvait leur rendre la raison. Je me suis mis à croire au mouvement des AA et à espérer que ça pourrait marcher pour moi aussi. J'ai découvert que Dieu était un Dieu d'amour, pas le Dieu vengeur que je craignais avant de venir chez les AA. J'ai aussi découvert qu'il avait toujours été avec moi, pendant toutes ces années difficiles. Aujourd'hui, je sais que c'est lui qui m'a conduit chez les AA, et que je suis un miracle.

À CHACUN SON CHEMINEMENT

... il ne nous restait rien d'autre à faire que de prendre le simple coffre d'outils spirituel qui nous était offert.

LES ALCOOLIQUES ANONYMES, P. 29

La première fois que j'ai tenté de mettre les Étapes en pratique, je l'ai fait par obligation et par nécessité. Confronté à des adverbes comme courageusement, pleinement, humblement, directement, je me suis senti profondément découragé. Je trouvais Bill W. bien chanceux d'avoir connu un si grand, un si extraordinaire réveil spirituel. Avec le temps, j'ai découvert que je devais faire mon propre cheminement. Après quelques jours dans le mouvement des AA et grâce surtout aux témoignages des membres, j'ai compris que chacun trouve petit à petit son propre rythme dans la pratique des Étapes. En y allant progressivement, j'essaie de vivre selon les principes suggérés. Après avoir pratiqué ces Étapes, je peux dire aujourd'hui que mon attitude envers la vie, envers les autres et envers tout ce qui a trait à Dieu s'est améliorée.

JE NE SUIS PAS DIFFÉRENT

Au début, il a fallu quatre bonnes années avant qu'une seule femme alcoolique puisse trouver une abstinence continue chez les AA. Comme les « moins atteints », les femmes se disaient différentes... Le clochard se disait différent... de même que l'artiste, le professionnel, le riche, le pauvre, le religieux, l'agnostique, l'Amérindien, l'Inuit, l'ancien combattant et le prisonnier.

... Maintenant, tous ceux-là et bien d'autres parlent avec sobriété de la ressemblance que partagent tous les alcooliques quand ils admettent finalement leur défaite.

RÉFLEXIONS DE BILL, P. 24

Je ne peux me considérer comme « différent » dans les AA, car alors je m'isole des autres et me coupe de ma Puissance supérieure. Si je me sens isolé dans les AA, ce n'est pas la faute des autres. Je me suis isolé moi-même en me croyant « différent », pour une raison ou pour une autre. Aujourd'hui, j'essaie de n'être qu'un alcoolique parmi les autres, dans le grand mouvement mondial des Alcooliques anonymes.

LE DON DU RIRE

À ce moment-là, son parrain AA se met généralement à rire.

LES DOUZE ÉTAPES ET LES DOUZE TRADITIONS, P. 29

Avant de commencer à me rétablir de l'alcoolisme, le rire était un son que je ne pouvais supporter. Je ne riais jamais et lorsque j'entendais quelqu'un rire, je croyais qu'il se moquait de moi ! Mon apitoiement sur moi-même et ma colère me privaient du plus simple des plaisirs, celui de la gaieté. Vers la fin de ma vie d'ivrogne, même l'alcool n'arrivait plus à me faire ricaner.

Quand mon parrain AA s'est mis à rire en me faisant voir à quel point je m'apitoyais sur moi-même et les illusions dont se nourrissait mon ego, je me suis senti contrarié et blessé ; mais cela m'a montré à me détendre et à me concentrer sur ma sobriété. J'ai vite appris à rire de moi-même et, par la suite, j'ai enseigné à ceux que je parrainais à en faire autant. Tous les jours, je demande à Dieu de m'aider à ne plus me prendre trop au sérieux.

JE FAIS PARTIE D'UN TOUT

Instantanément, je suis devenu une partie, sans doute minuscule, d'un univers...

RÉFLEXIONS DE BILL, P. 225

À mon arrivée dans le mouvement, j'ai trouvé tous les membres très gentils, peut-être un peu naïfs, un peu trop amicaux, mais, tout compte fait, des gens convenables et sérieux – avec qui je n'avais rien en commun. Je les rencontrais dans les réunions, là où « ils » existaient pour moi. Je leur serrais la main et, en sortant de la salle, je les oubliais.

Puis un jour, ma Puissance supérieure, en qui je ne croyais pas encore, s'est arrangée pour créer en dehors du mouvement un projet communautaire auquel participaient plusieurs membres des AA. Nous avons travaillé ensemble et j'ai appris à les connaître individuellement. J'en suis venu à les admirer, à les aimer même et, malgré moi, à les apprécier. J'étais attiré par le fait qu'« ils » mettaient le mode de vie en pratique dans leur vie quotidienne, et non pas seulement dans leur témoignage pendant les réunions ; je voulais posséder ce qu'« ils » avaient. Tout à coup le « ils » est devenu « nous ». Depuis, je n'ai pas pris un seul verre.

UNE DIRECTION

... il s'agit d'une foi en un Créateur qui est toute-puissance, justice et amour ; en un Dieu qui me propose un but, un sens et une destinée qui m'invite à tendre, même si c'est... irrégulier, vers Son image et Sa ressemblance.

RÉFLEXIONS DE BILL, P. 51

Quand j'ai commencé à comprendre ma propre impuissance et ma dépendance envers Dieu, tel que je le conçois, je me suis aperçu qu'il existait une autre vie que j'aurais choisie dès le début si j'avais su que c'était possible. Ce n'est qu'en pratiquant sans relâche les Étapes et en assistant aux réunions des AA que j'ai compris qu'il y a vraiment une meilleure façon de vivre ; je n'ai qu'à me laisser guider. À mesure que j'apprends à connaître Dieu, je parviens à lui faire confiance et à le laisser, à sa guise, me façonner à son image. Parfois rapidement, parfois lentement, je grandis et me rapproche de lui.

DE MYSTÉRIEUX PARADOXES

Tel est le paradoxe de la régénération chez les AA : une force qui naît de la défaite et de la faiblesse totale, la perte d'une ancienne vie comme condition pour en trouver une nouvelle.

LE MOUVEMENT DES AA DEVIENT ADULTE, P. 47

Les paradoxes constituent des mystères fabuleux ! On ne peut les expliquer, mais admettre leur existence et les accepter, c'est réaffirmer qu'il y a dans l'univers quelque chose qui dépasse l'entendement humain. Affronter la peur me donne du courage, aider un frère ou une sœur augmente ma capacité de m'aimer, admettre que la souffrance fait partie de la croissance me rend plus heureux, considérer les côtés sombres de ma vie m'apporte de la lumière, accepter mes faiblesses et capituler devant une Puissance supérieure me procure une force imprévue. Je suis arrivé chez les AA en titubant, rejeté de tous et n'attendant plus rien de la vie. Pourtant j'ai reçu espoir et dignité. Le miracle, c'est que, pour conserver les dons reçus du mouvement, il faut les transmettre à d'autres.

UN CŒUR RECONNAISSANT

J'essaie de m'accrocher à la certitude qu'un cœur rempli de reconnaissance ne peut entretenir de grandes vanités. Quand il déborde de gratitude, notre cœur bat sûrement d'un amour altruiste, et c'est la plus belle émotion qui soit.

RÉFLEXIONS DE BILL, P. 37

Mon parrain me disait que je devais être un alcoolique reconnaissant et avoir toujours une attitude de gratitude, que la gratitude était le principal ingrédient de l'humilité, que l'humilité était le principal ingrédient de l'anonymat et que l'anonymat était la base spirituelle de toutes nos traditions, nous rappelant toujours de « placer les principes au-dessus des personnalités ». Mettant en pratique ces conseils, je commence chaque journée à genoux, afin de remercier Dieu pour trois faveurs : je suis en vie, je suis abstinent et je suis membre des Alcooliques anonymes. Ensuite, j'essaie d'avoir une « attitude de gratitude » et de jouir pleinement d'un autre vingt-quatre heures selon le mode de vie des AA. Les Alcooliques anonymes, c'est plus qu'un mouvement, c'est une manière de vivre.

LA LEÇON DES ÉCHECS

Dans le plan divin, rien n'est gaspillé. L'échec nous donne une leçon d'humilité douloureuse mais nécessaire.

RÉFLEXIONS DE BILL, P. 31

Comme je suis reconnaissant, aujourd'hui, de savoir que tous mes échecs passés, sans exception, m'ont permis d'arriver là où je suis maintenant. L'expérience est venue par la souffrance, et la souffrance m'a rendu docile. J'ai recherché Dieu, tel que je le conçois, et il a partagé avec moi ses précieux dons. Grâce à l'expérience et à l'obéissance, j'ai connu la croissance, puis la gratitude. Et ce fut enfin la paix d'esprit d'une vie sobre et ouverte aux autres.

UN SUCCÈS HORS DE L'ORDINAIRE

AA n'est pas une histoire de succès dans le sens ordinaire du mot. C'est une histoire de souffrance transformée, sous l'effet de la grâce, en progrès spirituel.

RÉFLEXIONS DE BILL, P. 35

À mon arrivée chez les AA, j'ai écouté les autres parler de leur vécu d'alcoolique : solitude, terreur et douleur. Puis, en continuant d'écouter, j'ai eu tôt fait d'entendre une toute autre description, celle de leur vie sans alcool. C'est une vie libre et heureuse, une vie qui a un sens et un but, une vie sereine, une vie de paix avec Dieu, avec eux-mêmes et avec les autres. En assistant aux réunions, je redécouvre constamment ce vécu sans alcool dans les yeux et dans la voie de ceux et celles qui m'entourent. Dans le programme des AA, je trouve la voie à suivre et la force de faire mien ce vécu. Ce qui est merveilleux chez les AA, c'est que cette vie nouvelle m'est accessible.

UNE STABILITÉ UNIQUE

Chez les AA, d'où viennent les directives ?... Ces gens pragmatiques lisent alors la Deuxième Tradition et découvrent que la seule autorité chez les AA est celle d'un Dieu d'amour tel qu'Il peut se manifester dans la conscience de groupe... Les premiers [les « vieux sages »] reconnaissent la sagesse de la décision du groupe, ne gardent aucun ressentiment d'avoir été limogés, ont un jugement sûr, fortifié par une expérience considérable, et consentent à rester calmement dans les coulisses en attendant patiemment la suite des événements.

LES DOUZE ÉTAPES ET LES DOUZE TRADITIONS, P. 151 ET 155

Le rétablissement de l'alcoolique est un manteau tissé avec les Douze Étapes et les Douze Traditions des AA. Au cours de mon rétablissement, je me suis rendu compte que mon nouveau manteau était taillé sur mesure pour moi. Quand le changement semblait impossible, les aînés du groupe me conseillaient doucement. Les expériences partagées par chacun ont fait naître de précieuses amitiés. Je suis convaincu que le mouvement possède tout ce qu'il faut pour aider chaque alcoolique qui souffre encore à tous les carrefours de sa vie. Dans un monde de problèmes, sa présence est gage d'une stabilité unique. Je chéris le cadeau de la sobriété et je remercie Dieu pour la force que j'ai reçue dans un mouvement dont la raison d'être est vraiment le bien-être de tous les membres.

QUOI ? PAS DE PRÉSIDENT ?

Quand on leur dit que notre association n'a pas de président investi du pouvoir de la diriger, ni de trésorier pouvant exiger le versement de cotisations... nos amis médusés s'exclament : « C'est simplement impossible ! »

LES DOUZE ÉTAPES ET LES DOUZE TRADITIONS, P. 151

Quand je suis enfin entré dans les AA, je ne pouvais pas croire qu'il n'y avait pas de trésorier « pouvant exiger le versement de cotisations ». Je ne pouvais pas m'imaginer qu'une association n'exige pas de contributions pour ses services. Je ne connaissais aucun autre endroit (et je n'en ai pas vu d'autres depuis) où je pouvais recevoir « quelque chose pour rien ». Comme je n'avais pas l'impression que les autres se servaient de moi ou m'escroquaient, j'ai pu aborder le programme des AA sans préjugés et avec un esprit ouvert. On ne me demandait rien ; je n'avais donc rien à perdre. Je rends grâce à Dieu pour la sagesse des fondateurs et pionniers qui savaient si bien à quel point l'alcoolique a horreur de se faire manipuler.

UN MIRACLE AA

Sauf à quelques occasions, l'idée de boire n'est plus jamais revenue ; dans ces moments-là, il était pris d'une grande répulsion. Apparemment, même s'il l'avait voulu, il n'aurait pas pu boire. Dieu lui avait rendu la raison.

LES ALCOOLIQUES ANONYMES, P. 64

Le mot « Dieu » m'a fait peur la première fois que je l'ai vu dans les Douze Étapes des AA. Après avoir tenté par tous les moyens d'arrêter de boire, j'ai constaté qu'il m'était impossible d'entretenir le désir d'être abstinent pendant une certaine période. Mais comment croire en un « Dieu » qui avait permis que je me noie dans le profond désespoir qui m'envahissait, que je boive ou non ?

La clé, c'était d'admettre finalement la *possibilité* qu'une puissance plus grande que la mienne puisse me donner la grâce de la sobriété, à la condition que je sois disposé à « croire ». En admettant finalement que j'étais un parmi plusieurs et, à l'instar de mon parrain et d'autres membres des AA, en pratiquant une foi que je n'avais pas, ma vie a trouvé un sens, une direction et un but.

ÇA MARCHE !

Ça marche ! Ça marche vraiment !

LES ALCOOLIQUES ANONYMES, P. 99

Quand je suis devenu abstinent, je n'ai d'abord eu confiance qu'au programme des Alcooliques anonymes. C'étaient le désespoir et la peur qui me gardaient abstinent (il se peut aussi qu'un parrain bienveillant et coriace n'ait pas nui !). La foi en une Puissance supérieure n'est venue que beaucoup plus tard. Elle est venue lentement, au début, une fois que j'ai commencé aux réunions à écouter les autres témoigner de leur vécu, un vécu que je n'avais jamais affronté abstinent, mais qu'eux pouvaient affronter grâce à une force venue d'une Puissance supérieure. Leurs témoignages m'ont amené à croire que je pourrais, moi aussi, « prendre » une Puissance supérieure. Avec le temps, j'ai appris qu'il est possible d'avoir une Puissance supérieure, une foi qui fonctionne dans toutes les circonstances. Aujourd'hui, cette foi ainsi que l'honnêteté, l'ouverture d'esprit et le désir de mettre les Étapes en pratique, me donnent la sérénité recherchée. Ça marche, ça marche vraiment !

L'ESPOIR

Ne vous découragez pas.

LES ALCOOLIQUES ANONYMES, P. 67

Peu d'expériences valent moins à mes yeux que la sobriété rapidement acquise. Trop souvent, le découragement est le seul dividende que je retire d'attentes irréalistes, sans parler de l'apitoiement sur moi-même ou de l'épuisement qui me guette lorsque je veux changer le monde en un jour. Le découragement est un signal d'alarme qui m'indique que je me suis peut-être écarté de la voie de Dieu. La meilleure façon de me réaliser pleinement, c'est de reconnaître mes limites et de considérer le temps non comme une menace, mais comme un don.

La clé de l'espoir déverrouille la porte du découragement. Le mode de vie des AA est pour moi la promesse qu'en ne prenant pas un premier verre aujourd'hui, je peux continuer d'espérer. Comme je sais maintenant que je ne perds pas ce que je partage, chaque fois que j'encourage, je reçois du courage. Grâce à Dieu et au mouvement des AA, je m'achemine lentement avec d'autres vers le bonheur. Je dois toujours me rappeler que la puissance qui est en moi est beaucoup plus grande que toutes mes peurs. J'espère pratiquer toujours la patience, car je suis sur la bonne voie.

VAINCRE L'ENTÊTEMENT

Nous sommes donc les principaux artisans de nos malheurs. Ils viennent de nous, et l'alcoolique fournit l'exemple parfait de la volonté personnelle déchaînée, même si, la plupart du temps, il ne s'en rend pas compte. Avant toute chose, nous, les alcooliques, devons nous corriger de notre égoïsme, sinon il nous tuera !

LES ALCOOLIQUES ANONYMES, P. 70

Pendant bien des années, ma vie a été centrée sur moi. J'étais rongé par mon ego de toutes sortes de façons : égocentrisme, apitoiement sur mon sort, autosatisfaction ; tout cela venait de mon orgueil. Depuis, le mouvement des Alcooliques anonymes m'a fait cadeau des Étapes et des Traditions que je peux mettre en pratique dans ma vie quotidienne, d'un groupe et d'un parrain ainsi que de la possibilité, si je le désire, de mettre mon orgueil de côté dans toutes les circonstances de ma vie.

Tant que je n'ai pas jeté un regard honnête sur moi-même et découvert que, dans beaucoup de circonstances, le problème venait de moi ; tant que je n'ai pas appris à bien réagir au-dedans comme au-dehors ; tant que je n'ai pas réussi à oublier mes attentes et à comprendre que ma sérénité en dépendait, je n'ai pas connu la sérénité et ma sobriété n'a pas été assurée.

DÉSHERBER MON JARDIN

L'essence de toute croissance réside dans le désir de changer pour le mieux et d'endosser pour toujours la responsabilité que cela entraîne.

RÉFLEXIONS DE BILL, P. 115

Au moment d'entreprendre la Troisième Étape, j'étais délivré de l'obsession de boire, mais j'ai chèrement payé pour apprendre qu'une sobriété constante requiert un effort constant.

De temps à autre, je m'arrête pour voir où j'en suis. Chaque fois, je constate que le désherbage de mon jardin progresse, mais je découvre aussi de nouvelles mauvaises herbes dans des endroits que je croyais avoir nettoyés pour de bon. Tout en revenant en arrière pour enlever ces nouvelles pousses (c'est plus facile quand elles sont jeunes), je prends le temps d'admirer la croissance de mes légumes et de mes fleurs. C'est la récompense de mes efforts. Ma sobriété croît et porte des fruits.

LA TÂCHE DE TOUTE UNE VIE

Mais comment faire au juste pour « ne pas s'en faire » dans de telles conditions ? C'est ce que je voudrais savoir.

LES DOUZE ÉTAPES ET LES DOUZE TRADITIONS, P. 29

Je n'ai jamais eu la réputation d'être patient. Combien de fois n'ai-je pas demandé : « Pourquoi attendre quand je peux tout avoir dès maintenant ? » Quand on m'a présenté les Douze Étapes pour la première fois, j'étais comme un enfant dans une boutique de jouets. Je brûlais d'impatience d'atteindre la Douzième Étape. Ça ne prendrait sûrement pas plus que quelques mois ; du moins, c'est ce que je croyais. Je me rends compte, maintenant, que la pratique des Douze Étapes est la tâche de toute une vie.

L'IDÉE DE LA FOI

Ne laissez aucun de vos préjugés contre les termes de spiritualité vous empêcher de vous demander honnêtement ce qu'ils peuvent signifier pour vous.

LES ALCOOLIQUES ANONYMES, P. 53

L'idée de la foi est un très gros morceau à avaler quand la peur, le doute et la colère m'habitent et m'entourent. Parfois, la simple intention de faire une chose différente, une chose que je n'ai pas l'habitude de faire, peut devenir par la suite un acte de foi si je la fais régulièrement, sans passer mon temps à me demander si c'est la bonne chose à faire. Quand je connais une mauvaise journée et que tout va mal, une réunion ou une conversation avec un autre alcoolique peut souvent me distraire juste assez pour me convaincre que tout n'est pas aussi impossible ou insurmontable que je le croyais. De la même manière, assister à une réunion ou parler à un autre alcoolique sont des actes de foi puisque je crois que j'empêche la progression de ma maladie. Ce sont là des moyens de m'approcher lentement de la foi en une Puissance supérieure.

LA CLÉ DE LA BONNE VOLONTÉ

Dès que nous avons mis dans la serrure la clé de notre bonne volonté et que la porte s'est ouverte, même légèrement, nous avons constaté qu'il est toujours possible de l'ouvrir encore davantage.

LES DOUZE ÉTAPES ET LES DOUZE TRADITIONS, P. 41

Aujourd'hui, mon désir d'abandonner à une Puissance supérieure mon orgueil et mon entêtement s'est révélé le seul élément indispensable à la solution de tous mes problèmes. Même une once de bonne volonté, si elle est sincère, suffit à laisser Dieu entrer en moi pour se charger de n'importe quel problème, souffrance ou obsession. Mon réconfort est directement proportionnel à la bonne volonté dont je fais preuve à tout moment pour renoncer à mon entêtement et pour laisser la volonté de Dieu se manifester dans ma vie. Cette clé de la bonne volonté est un outil puissant qui transforme en sérénité mes soucis et mes craintes.

CONFIER SA VIE

Hommes ou femmes, tous ceux qui ont joint les rangs des AA avec l'intention d'y rester, ont déjà, sans s'en rendre compte, franchi le pas de la Troisième Étape. N'est-il pas exact que pour tout ce qui touche l'alcool, chacun d'eux a décidé de placer sa vie sous les soins, la protection et les bons conseils des Alcooliques anonymes ?... Tous les nouveaux bien disposés sont persuadés qu'il n'existe pas pour leur navire fatigué d'autre port de salut que le mouvement. Si ce n'est pas là confier sa volonté et sa vie à la Providence telle qu'on vient de la découvrir, alors qu'est-ce que c'est ?

LES DOUZE ÉTAPES ET LES DOUZE TRADITIONS, P. 41-42

Ma soumission à Dieu a été la première étape de mon rétablissement. Je crois que notre mouvement recherche une spiritualité qui établit un nouveau type de liens avec Dieu. En m'efforçant de suivre la voie des Étapes, je sens une liberté qui me donne la possibilité de penser par moi-même. Ma dépendance m'emprisonnait, sans possibilité d'évasion, et me rendait incapable de me libérer de mon obsession, mais les AA me procurent un moyen de m'en sortir. Le partage, l'entraide et le dévouement sont des dons que nous nous offrons mutuellement et les miens s'accroissent au fur et à mesure que se transforme mon attitude envers Dieu. J'apprends à me soumettre à la volonté de Dieu dans ma vie, à me respecter et à conserver ces deux attitudes en donnant aux autres ce que je reçois.

NE PLUS FAIRE À MA TÊTE

Nous avons décidé de confier notre volonté et notre vie aux soins de Dieu tel que nous Le concevions.

LES DOUZE ÉTAPES ET LES DOUZE TRADITIONS, P. 40

Malgré toute la bonne volonté du monde, comment peut-on confier sa volonté et sa vie aux soins de Dieu tel qu'on le conçoit ? En cherchant à répondre à cette question, j'ai pris conscience de la sagesse de la Troisième Étape qui comporte deux parties.

Bien des fois, j'aurais pu mourir ou être blessé à l'époque où je buvais, mais cela n'est jamais arrivé. Je devais être protégé par quelqu'un ou par quelque chose. Je crois que ma vie a toujours été sous la protection de Dieu. Lui seul décide du nombre de jours qu'il me sera donné de passer sur cette terre.

La question de la volonté (ma volonté ou celle de Dieu) est pour moi la partie la plus difficile de l'Étape. Ce n'est qu'après avoir beaucoup souffert sur le plan émotif, en tentant sans succès de me rétablir tout seul, que j'accepte enfin de m'en remettre à la volonté de Dieu. La capitulation, c'est comme le calme après la tempête. Quand ma volonté est en accord avec celle de Dieu à mon égard, je trouve la paix intérieure.

AUJOURD'HUI, J'AI LE CHOIX

Mais invariablement, nous découvrons que dans le passé, nous avons pris une décision égoïste qui nous a exposés à être blessés plus tard.

LES ALCOOLIQUES ANONYMES, P. 70

Lorsque j'ai été capable d'admettre que j'avais joué un rôle dans la tournure qu'avait prise ma vie, mon attitude a changé de façon spectaculaire. C'est à ce moment-là que le mode de vie des AA a commencé à fonctionner pour moi. Par le passé, j'avais toujours blâmé les autres (Dieu ou les gens) pour ce qui m'arrivait. Je n'avais jamais senti que j'avais le choix de changer de vie. Mes décisions, prises par peur, par orgueil ou par égoïsme, m'avaient mené sur le sentier de l'autodestruction. Aujourd'hui, j'essaie de laisser ma Puissance supérieure me guider sur la voie de la raison. Je suis responsable de mes actions – ou de mon inaction – peu importe les conséquences.

PRENDRE LA BONNE DIRECTION

Nous commençons à bien utiliser notre volonté lorsque nous essayons de la rendre conforme à la volonté de Dieu. Pour nous tous, ce fut une merveilleuse révélation. Tous nos ennuis venaient du mauvais usage de notre volonté. Nous tentions de la canaliser sur nos problèmes au lieu d'essayer de l'aligner sur les intentions de Dieu à notre égard. Le but des Douze Étapes des AA est de rendre cela de plus en plus possible, et c'est la Troisième Étape qui ouvre la voie.

LES DOUZE ÉTAPES ET LES DOUZE TRADITIONS, P. 47

Il me suffit de regarder mon passé pour voir où m'a conduit mon entêtement. Je ne sais tout simplement pas ce qui est bien pour moi, mais je crois que ma Puissance supérieure le sait. Elle ne m'a jamais laissé tomber mais moi, je me suis souvent joué de mauvais tours. Me fier à ma seule volonté, c'est habituellement comme vouloir introduire de force une pièce de casse-tête au mauvais endroit ; il n'en résulte qu'épuisement et frustration.

La Troisième Étape ouvre la porte au reste du programme. Quand je demande à Dieu de me guider, je sais que tout ce qui arrive est pour le mieux, que les choses sont exactement comme elles doivent être, même si ce n'est pas ce que j'attendais ou ce que j'aimerais. Si je le laisse agir, Dieu fait pour moi ce que je ne peux pas faire pour moi-même.

PROGRAMME DE LA JOURNÉE

À notre réveil, nous pensons au vingt-quatre heures devant nous et nous regardons nos projets pour la journée. Nous demandons d'abord à Dieu de nous guider dans nos pensées et surtout de libérer notre esprit de l'apitoiement comme de tout mobile malhonnête ou égoïste.

LES ALCOOLIQUES ANONYMES, P. 98

Tous les jours, je demande à Dieu de ranimer en moi la flamme de son amour, pour qu'un amour radieux et clair illumine mes pensées et me permette de mieux faire sa volonté. Tout au long de la journée, alors que des événements extérieurs viennent abattre mon enthousiasme, je demande à Dieu de me faire prendre conscience clairement de la possibilité de recommencer ma journée à n'importe quel moment, cent fois si nécessaire.

LE MONDE DE L'ESPRIT

... nous sommes entrés dans le monde de l'Esprit. Notre prochaine tâche est de grandir en compréhension et en efficacité. Cela ne se fait pas en un jour, mais doit durer toute la vie.

LES ALCOOLIQUES ANONYMES, P. 95

Les mots « entrés dans le monde de l'Esprit » sont pleins de signification. Ils impliquent une action, un commencement, un engagement, une condition nécessaire au maintien de ma croissance spirituelle, l'« Esprit » étant ce qui est immatériel en moi. L'égocentrisme et un esprit matérialiste constituent des obstacles à ma croissance spirituelle. La spiritualité suppose l'attachement aux valeurs spirituelles plutôt qu'aux biens matériels, et l'obéissance à la volonté de Dieu à mon égard. Pour moi, un amour inconditionnel, la joie, la patience, la bonté, la gentillesse, la fidélité, la maîtrise de soi et l'humilité sont des valeurs spirituelles. Chaque fois que je laisse l'égoïsme, la malhonnêteté, la rancune et la peur m'habiter, je me coupe de ces valeurs spirituelles. Tout en demeurant abstinent, ma croissance spirituelle devient l'affaire de toute une vie. Mon but est la croissance spirituelle car je sais très bien que je n'atteindrai jamais la perfection.

LA CLÉ DE VOÛTE

Il est le Père et nous sommes ses enfants. Ce concept, simple comme la plupart des bonnes idées, fut la clé de voûte de l'arche nouvelle et triomphante qui s'ouvrait sur notre liberté.

LES ALCOOLIQUES ANONYMES, P. 70

La clé de voûte est cette pierre en forme de coin située au sommet d'une arche et qui maintient toutes les autres en place. Les « autres » pierres sont la Première Étape, la Deuxième, la Quatrième et les autres, jusqu'à la Douzième. En un sens, cela donne l'impression que la Troisième Étape est la plus importante, que les onze autres doivent s'appuyer sur elle. Mais en réalité, la Troisième Étape n'est qu'une étape parmi les autres. Elle est la clé de voûte, mais sans les onze autres pierres qui forment la base et les montants, avec ou sans clé de voûte, il ne peut y avoir d'arche. Grâce à la pratique quotidienne de toutes les Étapes, je trouve sur mon chemin cette arche triomphante par laquelle je passe pour aller vers un autre jour de liberté.

TROUVER LA BONNE IDÉE

Lorsque nous en avons vu d'autres résoudre leurs problèmes simplement par leur confiance en l'Esprit de l'univers, nous n'avons pas pu faire autrement que de ne plus douter de la puissance de Dieu. Nos idées ne menaient à rien. L'idée d'un Dieu fonctionnait.

LES ALCOOLIQUES ANONYMES, P. 59

Comme un aveugle qui recouvre graduellement la vue, j'ai lentement cheminé en tâtonnant jusqu'à la Troisième Étape. Ayant pris conscience que seule une Puissance supérieure pouvait me sauver de l'abîme sans espoir dans lequel je me trouvais, je savais que je devais m'accrocher à cette Puissance qui serait mon ancre au milieu d'un océan de malheurs. Même si ma foi, à cette époque, était encore minuscule, elle était assez grande pour me laisser voir qu'il était temps de mettre de côté ma confiance orgueilleuse en mon ego et de la remplacer par la force apaisante que seule une Puissance supérieure peut procurer.

TEL QUE NOUS LE CONCEVONS

Mon ami m'a fait une suggestion qui m'a semblé nouvelle. « Pourquoi ne choisis-tu pas ta propre conception de Dieu ? » Sa proposition m'a ébranlé. J'ai senti fondre la montagne glaciale des préjugés intellectuels dans l'ombre desquels j'avais vécu et tremblé pendant des années. Enfin, je retrouvais le soleil. Il suffisait que j'accepte de croire en une Puissance supérieure à moi-même. Je n'avais plus rien à faire pour commencer.

LES ALCOOLIQUES ANONYMES, P. 14

Je me souviens des nombreuses fois où je regardais le ciel en me demandant qui avait fait tout ça et comment. Quand je suis entré chez les AA, une certaine compréhension de la dimension spirituelle est devenue nécessaire au maintien de ma sobriété. Après avoir lu différentes descriptions, scientifiques ou autres, d'une grande explosion, j'ai opté pour la simplicité et j'ai fait de Dieu tel que je le conçois la Grande Puissance qui avait rendu l'explosion possible. Lui, le maître de ce vaste univers, saurait sans nul doute guider mes pensées et mes actes si j'étais disposé à accepter sa direction. Par contre, je ne pouvais m'attendre à recevoir de l'aide si je lui tournais le dos pour suivre mon propre chemin. J'ai donc accepté de croire et j'ai connu 26 ans de sobriété constante et heureuse.

DES VOIES MYSTÉRIEUSES

... toutes ces périodes de souffrance et de peine, où il nous semble que la main de Dieu est bien lourde ou même injuste, lui ont enseigné de nouvelles leçons sur la vie, lui ont fait découvrir de nouvelles ressources de courage, et finalement lui ont donné l'absolue conviction qu'en effet, « les voies de Dieu sont insondables dans l'accomplissement de Ses merveilles ».

LES DOUZE ÉTAPES ET LES DOUZE TRADITIONS, P. 119

Après avoir perdu carrière, famille et santé, je n'étais toujours pas convaincu que ma façon de vivre avait besoin d'être réexaminée. La boisson et les autres drogues étalent en train de me tuer, mais je n'avais jamais rencontré ni une personne en rétablissement ni un membre des AA. Je me croyais destiné à mourir seul, comme je le méritais. Au plus fort de mon désespoir, mon jeune fils est tombé gravement malade, atteint d'une affection rare. Les efforts des médecins pour lui venir en aide demeuraient inutiles. Je redoublai d'efforts pour engourdir mes sentiments, mais l'alcool avait cessé de faire effet. Il ne me restait plus qu'à regarder Dieu dans les yeux et à le supplier de m'aider. Quelques jours plus tard je rencontrais les AA, par un étrange concours de circonstances, et je suis abstinent depuis ce temps. Mon fils a survécu et sa maladie est en rémission. Tout cet épisode m'a convaincu de mon impuissance et de mon incapacité de diriger ma vie. Aujourd'hui, mon fils et moi remercions Dieu d'être intervenu dans notre vie.

LA VRAIE INDÉPENDANCE

... plus nous acceptons de dépendre d'une Puissance supérieure, plus nous devenons vraiment indépendants.

LES DOUZE ÉTAPES ET LES DOUZE TRADITIONS, P. 42

Je commence par faire preuve d'un peu de bonne volonté en acceptant de faire confiance à Dieu, et Dieu renforce cette bonne volonté. Plus j'ai de la bonne volonté, plus j'ai confiance, et plus j'ai confiance, plus ma bonne volonté croît. Ma dépendance envers Dieu croît au même rythme que ma confiance en lui. Avant de faire preuve de bonne volonté, je dépendais de moi-même pour tous mes besoins et je me trouvais limité par mes déficiences. Lorsque j'accepte de dépendre de ma Puissance supérieure (que j'appelle Dieu) tous mes besoins sont comblés par quelqu'un qui me connaît mieux que moi-même, qui connaît même des besoins que j'ignore encore ou qui n'apparaîtront que dans l'avenir. Seul quelqu'un qui me connaît aussi bien pouvait m'amener à être moi-même et m'aider à combler chez quelqu'un d'autre des besoins que je suis seul à pouvoir combler. Il n'y aura jamais personne d'autre exactement comme moi, et c'est cela la vraie indépendance.

LA PRIÈRE, ÇA MARCHE

On a dit avec raison que « personne ne se moque de la prière sauf ceux qui ne s'y sont pas suffisamment appliqués ».

LES DOUZE ÉTAPES ET LES DOUZE TRADITIONS, P. 111

Ayant été élevé dans un foyer athée, je me suis senti quelque peu idiot la première fois que j'ai essayé de prier. Je savais qu'une Puissance supérieure agissait dans ma vie – autrement, comment aurais-je pu demeurer abstinent ? – mais je n'étais absolument pas convaincu qu'elle avait envie d'entendre mes prières. Comme les gens qui possédaient ce que je voulais disaient que la prière jouait un rôle important dans la pratique du programme, j'ai persévéré. M'étant engagé à prier tous les jours, j'ai été étonné de découvrir que je devenais plus serein et plus satisfait de mon sort. En d'autres mots, la vie était plus facile et je n'avais pas à me battre autant. Je ne sais toujours pas de façon certaine qui (ou quoi) écoute mes prières, mais je n'ai jamais cessé de les dire, pour la bonne raison que ça marche.

AMOUR ET TOLÉRANCE

L'amour et la tolérance envers les autres, voilà notre code.

LES ALCOOLIQUES ANONYMES, P. 95

Je me suis aperçu que je devais toujours pardonner aux autres, peu importe les circonstances, si je voulais faire de réels progrès spirituels. L'importance cruciale du pardon ne me paraît pas évidente à première vue, mais mes études m'ont appris que tous les grands maîtres spirituels insistent fortement sur ce point.

Je dois pardonner les blessures, non seulement en paroles ou pour la forme, mais dans mon cœur ; non pour le bien de la personne en cause, mais pour mon propre bien. La rancœur, la colère, le désir de voir quelqu'un puni, sont des sentiments qui font pourrir l'âme. Ils m'enchaînent à mes difficultés et à d'autres problèmes qui n'ont rien à voir avec mon problème fondamental.

LE BIEN-ÊTRE MATÉRIEL ET SPIRITUEL

La crainte des gens et de l'insécurité financière disparaîtra.

LES ALCOOLIQUES ANONYMES, P. 95

Réduire ou éliminer sa peur et améliorer sa situation financière sont deux choses bien différentes. À mes débuts chez les AA, je mêlais ces deux idées. Je croyais que ma peur disparaîtrait seulement quand j'aurais commencé à faire de l'argent. Toutefois, une autre pensée du Gros Livre m'a sauté aux yeux, un jour que je ruminais mes difficultés financières : « Pour nous, le bien-être matériel vient toujours après le progrès spirituel, jamais avant » (p. 118). J'ai compris soudain que cette promesse était une garantie. Je me suis aperçu qu'elle plaçait les priorités dans le bon ordre et que le progrès spirituel diminuerait cette terrible peur d'être sans le sou, comme il avait atténué mes autres peurs.

Aujourd'hui, j'essaie de mettre au service des autres les talents que j'ai reçus de Dieu. Je me suis rendu compte que c'est toujours ce que les gens apprécient le plus. J'essaie de me rappeler que je ne travaille plus pour moi. En réalité, je jouis de la richesse que Dieu a créée, mais elle ne m'appartient pas. Le but de ma vie m'apparaît beaucoup plus clairement quand je me contente de travailler pour aider et non pour posséder.

PLUS DE BATAILLE...

Et nous avons cessé de combattre qui que ce soit ou quoi que ce soit, même l'alcool.

LES ALCOOLIQUES ANONYMES, P. 95

Quand les AA m'ont trouvé, je croyais que je devais me mettre à me battre et qu'ils pourraient me donner la force nécessaire pour vaincre l'alcool. Si j'étais vainqueur, qui sait quels autres combats je pourrais gagner ? Mais il me faudrait être fort. Toutes mes expériences antérieures me l'avaient démontré. Aujourd'hui, je n'ai plus besoin de me battre ou d'exercer ma volonté. Si je mets les Douze Étapes en pratique et si je laisse ma Puissance supérieure faire le vrai travail, mon problème d'alcool s'envole de lui-même. Les problèmes de la vie cessent, eux aussi, d'être des batailles. Je n'ai qu'à lui demander s'il faut changer les choses ou les accepter. Ce n'est pas ma volonté, mais la sienne, qui doit être accomplie.

PLUS AUCUNE RÉSERVE

Ainsi l'énoncé : Alcoolique un jour, alcoolique toujours se vérifie-t-il constamment... Si nous voulons renoncer à boire, nous devons le faire sans aucune réserve, sans caresser l'espoir subtil d'être un jour immunisé contre l'alcool... Il n'est pas nécessaire d'avoir bu longtemps ni d'avoir absorbé les mêmes quantités d'alcool que nous pour être gravement affecté. C'est particulièrement vrai pour les femmes. Les femmes de type alcoolique sont souvent subitement assaillies par la maladie et atteignent le point de non-retour en quelques années seulement.

LES ALCOOLIQUES ANONYMES, P. 37-38

Ces paroles sont soulignées dans mon livre. Elles sont vraies aussi bien des hommes que des femmes alcooliques. À plusieurs reprises j'ai relu cette page et réfléchi à ce qui y est dit. Je ne dois jamais être dupe en me disant que je n'ai pas toujours trop bu ou en me croyant « guéri ». J'aime penser que si Dieu m'a fait le cadeau de me délivrer de l'alcool, je peux bien lui offrir en retour le cadeau de ma sobriété. J'espère qu'il est aussi content de son cadeau que je le suis du mien.

AGIR AU LIEU DE RÉAGIR

L'homme est censé penser avant d'agir. Il n'a pas été fait à l'image de Dieu pour être un automate.

RÉFLEXIONS DE BILL, P. 55

Avant de me joindre aux AA, il m'arrivait souvent de ne pas penser et de réagir uniquement sous la pression des gens et des événements. Et lorsque je ne réagissais pas, j'agissais comme un automate. Après mon arrivée chez les AA, j'ai commencé à demander quotidiennement à une Puissance supérieure de me guider et j'ai appris à être attentif à ses conseils. Puis, j'ai commencé à prendre des décisions et à les mettre à exécution au lieu de simplement réagir. J'ai obtenu des résultats constructifs ; je ne permets plus aux autres de prendre des décisions à ma place et de me blâmer ensuite.

Aujourd'hui et tous les jours, le cœur plein de gratitude, et animé du désir de voir la volonté de Dieu se réaliser à travers moi, j'ai une vie qui vaut la peine d'être « partagée », surtout avec mes frères et sœurs alcooliques ! Et surtout, si je n'essaie pas de faire une religion de tout, même des AA, je deviens un canal par lequel Dieu peut s'exprimer.

LE CŒUR PLEIN DE GRATITUDE

J'essaie de m'accrocher à la certitude qu'un cœur rempli de reconnaissance ne peut entretenir de grandes vanités. Quand il déborde de gratitude, notre cœur bat sûrement d'un amour altruiste, et c'est la plus belle émotion qui soit.

RÉFLEXIONS DE BILL, P. 37

Je crois que nous, Alcooliques anonymes, sommes chanceux puisque qu'on nous rappelle constamment la nécessité d'être reconnaissants et l'importance de cette gratitude pour notre sobriété. Je rends sincèrement grâce à Dieu pour la sobriété dont il m'a fait cadeau par l'intermédiaire du programme des AA, et je suis content de pouvoir redonner ce que j'ai reçu gratuitement. Je lui suis reconnaissant non seulement pour ma sobriété, mais aussi pour la qualité de vie que ma sobriété me procure. Dieu a eu la bonté de me donner des jours abstinents, une vie remplie de paix et de contentement, la capacité d'aimer et d'être aimé de même que la possibilité de servir les autres – dans le mouvement, dans ma famille et dans ma communauté. Pour tout cela, j'ai le cœur plein de gratitude.

L'APPRENTISSAGE N'EST JAMAIS TERMINÉ

Abandonnez-vous à Dieu tel que vous Le concevez. Reconnaissez vos fautes devant Lui et devant vos proches. Déblayez votre passé de ses débris. Donnez généreusement ce que vous avez découvert et joignez-vous à nous. Nous serons avec vous dans la Communion de l'esprit, et nul doute que vous croiserez quelques-uns des nôtres lorsque vous marcherez courageusement sur le chemin de l'Heureux Destin. D'ici là, que Dieu vous garde et vous bénisse !

LES ALCOOLIQUES ANONYMES, P. 185-186

J'ai la gorge serrée chaque fois que je lis ces lignes. Au début, c'était parce que je me disais : « Ah non ! L'enseignement est terminé et maintenant je me retrouve tout seul. J'ai tout appris et il n'y aura plus de nouveauté. » Aujourd'hui, quand je relis ce passage, je ressens une grande affection pour nos pionniers AA, parce que ces mots résument ce que je crois et ce que je cherche à atteindre et aussi parce que, grâce à Dieu, l'apprentissage n'est jamais terminé. Je ne suis jamais tout seul et chaque jour est un jour nouveau.

LES LIBERTÉS DES AA

Nous savons déjà quelles sont nos diverses libertés et nous espérons que les futures générations de AA ne se sentiront jamais forcées de les limiter. Ce sont ces libertés qui constituent le terreau dans lequel peut croître l'amour véritable...

LE LANGAGE DU CŒUR, P. 318

J'avais besoin de liberté. D'abord de la liberté de boire et plus tard, de la liberté de ne plus boire. Le programme de rétablissement des AA se fonde sur la liberté de choix. Il n'y a pas de contrats, de lois ou de commandements. Le programme spirituel décrit dans les Douze Étapes, qui me donne accès à de plus grandes libertés encore, n'est qu'une suggestion. Je suis libre de m'en servir ou de l'ignorer. On m'offre le parrainage, mais sans l'imposer. Je vais et je viens à ma guise. Ce sont ces libertés et bien d'autres encore qui me permettent de recouvrer ma dignité, écrasée sous le poids de l'alcool, et pourtant si précieuse et nécessaire au maintien d'une sobriété durable.

ÉGALITÉ

Nous devons admettre dans nos rangs tous ceux qui souffrent d'alcoolisme. Dès lors, nous ne pouvons exclure quiconque désirant se rétablir. De plus, l'adhésion aux AA n'est conditionnelle à aucune contribution monétaire ou conformité à quelque règle. Dès que deux ou trois alcooliques se rassemblent pour leur sobriété, ils peuvent se considérer comme un groupe des AA pourvu qu'en tant que groupe, ils ne soient associés à aucun autre organisme.

LES ALCOOLIQUES ANONYMES, P. 628

Avant d'entrer dans les AA, j'avais souvent l'impression que je ne « cadrais » pas avec les gens qui m'entouraient. « Ils » avaient habituellement plus (ou moins) d'argent que moi et mes opinions ne collaient pas avec les « leurs ». Les nombreux préjugés auxquels je faisais face dans ma vie sociale ne faisaient que me confirmer à quel point certains bien-pensants étaient hypocrites. Chez les AA, j'ai trouvé le mode de vie que je cherchais. Aucun membre n'est meilleur que le voisin ; nous ne sommes que des alcooliques qui essaient de se rétablir de l'alcoolisme.

DES SERVITEURS DE CONFIANCE

Ce sont des serviteurs. Leur privilège, parfois bien ingrat, consiste à s'occuper des corvées du groupe.

LES DOUZE ÉTAPES ET LES DOUZE TRADITIONS, P. 154

Dans son livre Zorba le Grec, Nikos Kazantzakis décrit la rencontre entre son personnage principal et un vieil homme en train de planter un arbre. « Qu'est-ce que tu es en train de faire ? », demande Zorba. Et le vieil homme de répondre : « Tu le vois très bien, ce que je suis en train de faire, mon fils, je plante un arbre. » « Mais pourquoi planter un arbre, demande Zorba, si tu ne dois pas le voir porter de fruits ? » Et le vieil homme réplique : « Moi, je vis comme si je n'allais jamais mourir. » Cette réponse suscite un vague sourire chez Zorba qui, en s'éloignant, s'exclame avec une pointe d'ironie : « Comme c'est étrange ! Moi, je vis comme si j'allais mourir demain ! »

En tant que membre des Alcooliques anonymes, j'ai trouvé dans notre troisième legs un sol fertile dans lequel planter l'arbre de ma sobriété. Je récolte de merveilleux fruits : la paix, la sécurité, la compréhension et vingt-quatre heures d'un éternel accomplissement. Avec un esprit clair, je peux écouter la voix de ma conscience quand elle me dit doucement, dans le silence : « Tu dois céder ta place dans le service. Il y en a d'autres qui veulent planter et récolter. »

LA CONSCIENCE DU GROUPE

... le bien est souvent l'ennemi du mieux...

LE MOUVEMENT DES AA DEVIENT ADULTE, P. 104

Ces mots s'appliquent à nos trois legs AA : Rétablissement, Unité, Service. Puissent-ils rester gravés dans mon esprit et ma vie à mesure que j'avance « sur le chemin de l'Heureux Destin » (Gros Livre, p. 186). C'est grâce à la conscience du groupe que les paroles citées plus haut ont été rappelées à notre cofondateur Bill W., qui les a souvent répétées par la suite. Elles lui ont fait voir l'essence de notre Deuxième Tradition : « Nos chefs ne sont que des serviteurs de confiance, ils ne gouvernent pas. »

Dans nos discussions en groupe, je crois que nous ne devrions jamais nous contenter de ce qui est « bien », mais viser à atteindre le « mieux ». Cette recherche en commun n'est qu'un exemple parmi d'autres de la présence d'un Dieu d'amour, tel que nous le concevons, qui s'exprime par la conscience du groupe. Ce sont des expériences comme celle-là qui m'aident à rester dans le droit chemin du rétablissement. J'apprends à combiner initiative et humilité, responsabilité et gratitude, et donc à goûter les joies d'un mode de vie vécu vingt-quatre heures à la fois.

PERSONNE NE M'A REFUSÉ L'AMOUR

Au calendrier des AA, c'était l'An Deux... Un nouveau s'est présenté un jour dans un de ces deux groupes... De toute évidence, cet homme était désespéré et désirait se rétablir plus que tout au monde ... « ... Je suis victime d'une autre dépendance encore plus mal vue que l'alcoolisme [dit-il] et vous ne voudrez peut-être pas de moi parmi vous... »

LES DOUZE ÉTAPES ET LES DOUZE TRADITIONS, P. 162

Épouse, mère et femme ayant déserté son mari, ses enfants et sa famille, je suis venue vers vous. J'étais une ivrogne, une « croqueuse de pilules », une nullité. Pourtant, personne ne m'a refusé l'amour, l'attention, l'appartenance. Aujourd'hui, grâce à Dieu, à l'amour d'une bonne marraine et au groupe d'attache – et grâce à vous, membres des Alcooliques anonymes – je peux dire que je suis une épouse, une mère, une grand-mère et une femme. Abstinente. Libérée des pilules. Responsable.

Sans une Puissance supérieure que j'ai trouvée dans le mouvement, ma vie n'aurait pas de sens. Je suis pleine de gratitude car je suis une membre estimée des Alcooliques anonymes.

REGARDER EN MOI

Nous avons procédé sans crainte à un inventaire moral approfondi de nous-mêmes.

LES DOUZE ÉTAPES ET LES DOUZE TRADITIONS, P. 49

La Quatrième Étape consiste à faire un effort vigoureux et appliqué pour découvrir quelles ont été et quelles sont mes faiblesses. Je veux savoir exactement où, quand et comment mes désirs naturels m'ont corrompu. Je veux regarder en face le malheur que cela a causé aux autres et à moi-même. En sachant quels sont mes défauts affectifs, je peux entreprendre de les corriger. Sans un effort constant et empressé en ce sens, il ne peut guère y avoir de sobriété ou de satisfaction pour moi.

Pour résoudre mes ambivalences, j'ai besoin d'avoir un sens fort et positif de moi-même. Une telle prise de conscience ne se fait pas en un jour et ne persiste jamais automatiquement. Chacun a la possibilité de grandir et de prendre conscience de soi-même en regardant honnêtement la réalité en face. Si je ne cherche pas à fuir les problèmes, mais si je les affronte directement en essayant toujours de les résoudre, ils seront de moins en moins nombreux.

FORGER SON CARACTÈRE

À force de réclamer des autres une trop large part d'attention, de protection et d'affection, on ne peut que provoquer... la domination et la répulsion...

LES DOUZE ÉTAPES ET LES DOUZE TRADITIONS, P. 51

Quand j'ai découvert à la Quatrième Étape mon besoin d'approbation, je n'ai pas cru bon de le ranger parmi mes défauts. Je préférais le considérer comme un atout – le désir de plaire aux gens. Mais on m'a vite fait remarquer que ce « besoin » peut être très paralysant. Aujourd'hui, j'aime encore me sentir approuvé par les autres, mais je ne veux plus payer pour cela le même prix qu'avant. Je ne veux plus faire de bassesses pour que les gens m'aiment. Si j'ai votre approbation, tant mieux ; sinon, je ne vais pas en mourir. J'ai la responsabilité de dire ce que je crois être la vérité, et non pas ce que je crois que les autres veulent entendre.

De la même manière, ma vanité m'a toujours amené à me préoccuper exagérément de ma réputation. Depuis que le programme des AA me guide, mon but est d'améliorer mon caractère.

ACCEPTER D'ÊTRE HUMAINS

Nous avons finalement compris que nous devions faire notre inventaire à nous, pas celui de l'autre. Nous avons donc honnêtement reconnu nos torts et nous nous sommes disposés à les redresser.

RÉFLEXIONS DE BILL, P. 222

Comment se fait-il que l'alcoolique soit si peu disposé à accepter ses responsabilités ? Avant, je buvais à cause de ce que les autres me faisaient. Mais chez les AA on m'a dit de chercher à voir quel étaient mes torts. Quel avait été mon rôle dans toutes ces histoires ? Une fois que j'ai eu simplement accepté ma part de responsabilité, il m'a été possible de jeter tout cela sur le papier et de constater que je n'étais après tout qu'un être humain. On ne me demande pas d'être parfait ! J'ai déjà fait des erreurs et j'en ferai encore. Les reconnaître honnêtement me permet de les accepter, de m'accepter moi-même et d'accepter aussi les personnes avec qui j'ai eu des différends. À partir de là, le rétablissement n'est plus très loin.

DEMANDER LA LUNE

Ce sentiment d'infériorité bien réel est amplifié par une sensibilité puérile, et cela engendre chez lui un désir insatiable et anormal d'autosatisfaction et de réussite aux yeux du monde. Toujours enfant, il demande la lune. Mais la lune, semble-t-il, ne veut pas de lui.

LE LANGAGE DU CŒUR, P. 107-108

Quand je buvais, j'oscillais entre l'impression d'être totalement invisible et la certitude d'être le centre de l'univers. La recherche d'un équilibre précaire entre ces deux extrêmes est maintenant l'élément essentiel de mon rétablissement. La lune que je réclamais constamment est rarement pleine, dans la sobriété ; je vois plutôt ses nombreuses autres phases, et toutes m'apportent une leçon. Les éclipses, les périodes de noirceur, sont souvent suivies d'un réel apprentissage, et à chaque cycle de mon rétablissement, la lumière se renforce et ma vue s'améliore.

LA VRAIE FRATERNITÉ

Jamais nous n'avons cherché qu'à occuper simplement notre place dans la famille, à n'être qu'un ami parmi les amis, qu'un travailleur parmi les autres, qu'un membre utile de la société. Toujours nous nous débattions pour être au sommet de la pyramide ou nous camoufler en dessous. Notre conduite égocentrique bloquait toute ouverture sur une relation d'association avec les différentes personnes de notre entourage. Nous ne comprenions pas le sens de la vraie fraternité.

LES DOUZE ÉTAPES ET LES DOUZE TRADITIONS, P. 62

Ce message de la Quatrième Étape a été le premier que j'ai entendu clairement ; jamais auparavant je n'avais lu dans un livre une description si parfaite de moi-même ! Avant d'entrer chez les AA, je ne connaissais aucun endroit où je puisse apprendre à devenir une personne parmi d'autres. Dès ma première réunion, j'ai vu des gens se comporter exactement comme tout le monde et je les ai enviés. Si je suis un alcoolique abstinent et heureux, aujourd'hui, c'est que je suis en train d'apprendre cette très importante leçon.

UN LONG TRAVAIL

Nous vivions des difficultés dans nos relations personnelles, nous ne pouvions pas contrôler notre émotivité, nous étions en proie à la tristesse morbide et à la dépression, nous étions incapables de gagner notre vie, nous ne trouvions aucun but à l'existence, nous étions habités par la crainte, nous étions malheureux, nous ne croyions pas pouvoir faire quoi que ce soit pour les autres.

LES ALCOOLIQUES ANONYMES, P. 59

Ces paroles me rappellent que j'ai d'autres problèmes que l'alcool, que l'alcoolisme n'est qu'un symptôme d'une maladie plus envahissante. En arrêtant de boire, j'ai entrepris un travail qui m'occupera toute ma vie, celui de me sortir de mes émotions désordonnées, de mes relations personnelles difficiles et des situations impossibles. C'est un travail trop difficile pour que la plupart puissent l'accomplir sans l'aide d'une Puissance supérieure et de nos amis dans le mouvement. Quand j'ai commencé à mettre en pratique le programme des AA, plusieurs fils enchevêtrés se sont dénoués et, petit à petit, les morceaux de ma vie les plus éparpillés se sont remis en place. Un jour à la fois, presque imperceptiblement, mes blessures se sont cicatrisées. Mes peurs ont diminué, comme un thermostat que l'on baisse. J'ai commencé à connaître des moments de contentement. Mes émotions sont devenues moins versatiles. Je fais maintenant à nouveau partie de la famille humaine.

UN GRAND CERCLE DE GRATITUDE

Et c'est avec reconnaissance que je déclare, au nom du Dr Bob et en mon nom personnel, que sans nos épouses Anne et Lois, nous n'aurions pas pu vivre assez longtemps pour voir naître le mouvement des AA.

RÉFLEXIONS DE BILL, P. 67

Suis-je capable, moi, d'une gratitude et d'un hommage aussi généreux envers ma compagne, mes parents et mes amis ? Sans leur soutien, je n'aurais peut-être jamais pu survivre jusqu'aux portes des AA. Je vais donc m'appliquer à discerner dans le plan de Dieu les liens qui unissent nos vies.

ME REGARDER EN FACE

Nous voulons savoir exactement comment, quand et où nos instincts naturels nous ont trompés. Nous voulons regarder bien en face les malheurs qu'ils ont causés aux autres et à nous-mêmes. En identifiant nos anomalies émotives, nous pouvons entreprendre de les corriger.

LES DOUZE ÉTAPES ET LES DOUZE TRADITIONS, P. 50

Aujourd'hui, je ne suis plus esclave de l'alcool. Mais, de bien des manières, l'esclavage demeure une menace – pour moi, pour mes désirs et même pour mes rêves. Pourtant je ne peux vivre sans rêves, car alors je n'ai plus rien qui me pousse à progresser.

Je dois tourner mon regard vers l'intérieur pour me libérer. Je dois faire appel à la Puissance divine pour affronter la personne qui me faisait le plus peur, c'est-à-dire moi, tel que je suis et tel que Dieu m'a créé. Tant que je n'aurai pas réussi à me regarder bien en face, je demeurerai un fugitif et je ne serai jamais vraiment libre. Chaque jour, je demande à Dieu de m'apporter cette liberté.

ME LIBÉRER DU « ROI ALCOOL »

... il ne faut pas supposer, même pour un instant, que nous ne subissons aucune contrainte... Notre ancien tyran, le Roi Alcool, se tient toujours prêt à nous reprendre. En conséquence, la libération de l'alcool est la chose « indispensable » à faire, sinon c'est la folie ou la mort.

RÉFLEXIONS DE BILL, P. 134

Quand je buvais, j'étais prisonnier, spirituellement, émotionnellement et parfois physiquement. Les barreaux de ma prison étaient faits d'entêtement et d'apitoiement sur mon sort, et je ne pouvais pas m'évader. À l'occasion, de courtes périodes d'abstinence qui semblaient une promesse de libération finissaient par n'être guère plus qu'un espoir de sursis. Pour m'évader vraiment, je devais me montrer disposé à faire tout ce qu'il fallait pour déverrouiller la porte de ma prison. Après avoir fait preuve de bonne volonté et agi positivement, j'ai vu la porte s'ouvrir et les barreaux s'écarter devant moi. En persistant dans ma bonne volonté et mon action, je demeure libre ; c'est une sorte de libération conditionnelle quotidienne qui pourrait se prolonger indéfiniment.

GRANDIR

L'essence de toute croissance réside dans le désir de changer pour le mieux et d'endosser pour toujours la responsabilité que cela entraîne.

RÉFLEXIONS DE BILL, P. 115

Parfois, quand je suis disposé à faire ce que j'aurais dû faire depuis toujours, je recherche des louanges et de la reconnaissance. Je ne me rends pas compte que plus j'accepte de changer ma façon d'agir, plus ma vie devient intéressante. Plus j'accepte d'aider les autres, plus j'en retire des récompenses. Voilà ce que signifie pour moi la mise en pratique des principes. Plaisirs et avantages me viennent de ma bonne volonté dans l'action plutôt que de la recherche de résultats immédiats. Parce que je suis un peu plus bienveillant, un peu plus lent à me mettre en colère, un peu plus aimant, ma vie s'embellit jour après jour.

CESSER DE BLÂMER LES AUTRES

Il nous a souvent fallu beaucoup de temps avant de constater à quel point ces émotions excessives faisaient de nous des victimes. Nous pouvions les déceler rapidement chez les autres, mais lentement en nous-mêmes. Tout d'abord, nous avons dû admettre que nous avions plusieurs de ces défauts, même si cette découverte était pénible et humiliante. Lorsqu'il s'agissait des autres, il fallait, en paroles et en pensée, nous abstenir d'accuser.

LES DOUZE ÉTAPES ET LES DOUZE TRADITIONS, P. 55

En mettant la Quatrième Étape en pratique à l'aide du Gros Livre, j'ai constaté que ma liste de rancunes venait de mes préjugés et du fait que j'accusais les autres d'être responsables de mes échecs et de mon incapacité de réussir pleinement. J'ai aussi découvert que je me sentais différent parce que je suis noir. En poursuivant mon inventaire, j'ai appris que j'avais toujours bu pour me débarrasser de ces sentiments. Ce n'est qu'après être devenu abstinent et avoir poursuivi mon inventaire que je suis arrivé à ne plus blâmer personne.

RENONCER À LA FOLIE

... nous étions frappés d'insanité dès qu'il s'agissait d'alcool.

LES ALCOOLIQUES ANONYMES, P. 43

L'alcoolisme me forçait à boire, que je le veuille ou non. La folie qui dominait ma vie était l'essence même de ma maladie. Elle me privait de la liberté de choisir autre chose que l'alcool et, par conséquent, de tous les autres choix. Quand je buvais, j'étais incapable de faire des choix valables dans aucun domaine de ma vie, et j'ai perdu la maîtrise de ma vie.

Je demande à Dieu de m'aider à comprendre et à accepter toute la signification de la maladie de l'alcoolisme.

LE FAUX RÉCONFORT DE L'APITOIEMENT

L'apitoiement est l'un des défauts les plus déplorables et les plus épuisants que nous connaissions. C'est un obstacle à tout progrès spirituel et il peut nous couper de toute vraie communication avec nos semblables, parce qu'il exige démesurément l'attention et la sympathie. Nous ne pouvons guère nous permettre cette forme de martyre plaintif.

RÉFLEXIONS DE BILL, P. 238

Le faux réconfort que m'apporte l'apitoiement sur mon sort me masque la réalité temporairement, puis exige de moi, comme une drogue, que j'augmente la dose. Succomber à l'apitoiement pourrait me conduire à une rechute dans l'alcool. Alors que puis-je faire ? Un antidote sûr consiste à tourner mon attention, même à peine au début, vers d'autres personnes, de préférence des alcooliques qui ont réellement moins de chance que moi. Dans la mesure même où je leur montrerai que je les comprends, ma propre souffrance reprendra des proportions plus réelles.

LE GRAND ENNEMI

Le ressentiment est l'ennemi « no 1 ». Ce sentiment détruit plus d'alcooliques que toute autre chose. Il donne lieu à toutes les formes de maladies spirituelles car nous étions atteints non seulement mentalement et physiquement, mais spirituellement aussi.

LES ALCOOLIQUES ANONYMES, P. 72

En regardant la manière dont je pratique la Quatrième Étape, je constate que je passe facilement sur mes propres torts, parce que je n'ai pas de mal à voir qu'il s'agissait de me venger des torts que j'avais subis. Quand je persiste à raviver de vieilles blessures, j'éprouve du ressentiment, et ce ressentiment empêche le soleil d'entrer dans mon âme. Si je continue de ressasser mes blessures et mes haines, je vais me blesser et me haïr moi-même. Après avoir passé des années dans le noir de mon ressentiment, j'ai fini par trouver le soleil. Je dois abandonner mes rancunes, je ne peux plus me les permettre.

LE RESSENTIMENT, UN ESCLAVAGE

... le ressentiment est extrêmement grave. Car, alors, nous nous coupons de la lumière de l'Esprit.

RÉFLEXIONS DE BILL, P. 5

Certains disent : « la colère est un luxe que je ne peux pas me permettre ». Est-ce que cela veut dire que je dois ignorer cette émotion humaine ? Je ne crois pas. Avant d'entendre parler du programme des AA, j'étais esclave de mes comportements d'alcoolique. J'étais enchaîné à mon esprit négatif, sans espoir de pouvoir me libérer.

Les Étapes m'ont offert un autre choix et la Quatrième Étape a marqué pour moi le début de la fin de mon esclavage. Pour « lâcher prise », je devais commencer par un inventaire. Je n'avais pas à avoir peur car les Étapes précédentes m'avaient appris que je n'étais pas seul. C'est ma Puissance supérieure qui m'a amené devant cette porte et m'a fait cadeau de la liberté de choix. Aujourd'hui, je peux choisir de franchir la porte de la liberté et trouver la joie dans le soleil des Étapes, seules capables de purifier l'esprit qui est en moi.

LA COLÈRE, UN « LUXE DOUTEUX »

Si nous voulions vivre, nous devions nous libérer de la colère. Les crises et l'irritabilité ne sont pas pour nous. Les gens normaux peuvent peut-être s'offrir ce luxe douteux, mais pour les alcooliques c'est un poison.

LES ALCOOLIQUES ANONYMES, P. 74-75

Un « luxe douteux ». Combien de fois me suis-je répété ces mots. Ce n'est pas seulement la colère qu'il vaut mieux laisser aux non-alcooliques ; ma liste comprend également le ressentiment justifié, l'apitoiement sur soi, la propension à porter des jugements catégoriques, l'autosatisfaction, la vanité et la fausse modestie. Je suis toujours surpris quand je relis cette citation ; on m'a tellement bien enfoncé dans le crâne les principes du programme que je continue à croire que tous ces défauts font partie du passage cité. Dieu merci, je ne peux pas me les permettre, sinon j'en abuserais sûrement.

L'AMOUR CONTRE LA PEUR

Toutes ces faiblesses engendrent la peur, qui est en soi une maladie de l'âme.

LES DOUZE ÉTAPES ET LES DOUZE TRADITIONS, P. 57

« La peur a frappé à la porte, la foi est venue ouvrir – il n'y avait personne. » Je ne sais pas à qui attribuer cette citation, mais elle montre clairement que la peur est une illusion, une illusion que je crée moi-même.

J'ai connu la peur tôt dans ma vie et j'ai cru à tort que sa seule présence faisait de moi un lâche. Je ne savais pas que l'une des définitions du courage, c'est « l'empressement à faire ce qui doit être fait, malgré la peur ». Le courage n'est donc pas nécessairement l'absence de peur.

Dans les périodes où l'amour était absent de ma vie, la peur s'y trouvait à coup sûr. Avec le recul, je me rends compte que dans les moments où j'ai eu le plus peur de Dieu, il n'y avait pas de joie dans ma vie. Craindre Dieu, c'est avoir peur de la joie. En apprenant à ne plus avoir peur de Dieu, j'ai aussi appris à connaître la joie.

HONNÊTETÉ VIS-À-VIS DE SOI

Presque toujours, nous trompons les autres parce que nous nous trompons d'abord nous-mêmes. Si nous sommes honnêtes en face d'une autre personne, c'est la confirmation que nous avons été honnêtes avec nous-mêmes et avec Dieu.

RÉFLEXIONS DE BILL, P. 17

À l'époque où je buvais, je me dupais moi-même au sujet de la réalité ; je la réinventais pour qu'elle soit à mon goût. Tromper les autres est un défaut, même si je ne fais qu'étirer un peu la vérité ou qu'embellir mes motifs pour que les gens aient une bonne opinion de moi. Ma Puissance supérieure peut me débarrasser de ce défaut, mais je dois d'abord me montrer disposé à recevoir son aide en renonçant à la duperie. Je dois tous les jours me rappeler que me duper moi-même à mon propre sujet, c'est m'exposer à l'échec ou à la déception dans la vie et chez les AA. Une relation étroite et *honnête* avec une Puissance supérieure est la seule base solide sur laquelle je peux asseoir mon honnêteté envers moi-même et envers les autres.

NOUS SOMMES FRÈRES PAR NOS DÉFAUTS

Nous, alcooliques rétablis, sommes moins frères par nos vertus que par nos défauts et par nos efforts communs pour les surmonter.

RÉFLEXIONS DE BILL, P. 167

Pour un alcoolique, s'identifier à un autre alcoolique est une expérience mystérieuse, spirituelle, voire presque incompréhensible. Mais cela se produit. Je « sens cette similitude ». Aujourd'hui, je sens que je peux aider les autres et qu'ils peuvent m'aider.

C'est un sentiment nouveau et passionnant pour moi ; je me préoccupe de quelqu'un, de ce qu'il ressent, de ce qu'il espère, de ce qu'il demande à Dieu ; je me rends compte de sa tristesse, de sa joie, de sa peur, de son chagrin, de sa douleur, et je veux partager ces sentiments pour pouvoir le soulager. Je n'ai jamais su comment aider les autres, comment même essayer parce que je ne m'en souciais pas. Les AA et Dieu sont en train de m'apprendre à me préoccuper des autres.

EXAMEN DE CONSCIENCE

Nous demandons d'abord à Dieu de nous guider dans nos pensées et surtout de libérer notre esprit de l'apitoiement comme de tout mobile malhonnête ou égoïste.

LES ALCOOLIQUES ANONYMES, P. 98

Quand je la dis sincèrement, cette prière m'apprend à être vraiment humble et généreux, moi qui recherchais souvent dans mes bonnes actions l'approbation ou la gloire personnelle. En examinant attentivement les motifs qui me font agir, je peux servir Dieu et les autres, et les aider à faire ce qu'ils désirent. Quand je laisse Dieu dIrIger mes pensées, je m'évite beaucoup de soucis inutiles et je crois qu'il me guide tout au long de la journée. Si j'élimine de mon esprit l'apitoiement, sur mon sort, la malhonnêteté et l'égocentrisme dès qu'ils apparaissent, je me retrouve en paix avec Dieu, avec mon voisin et avec moi-même.

CULTIVER LA FOI

« À mon avis, disait Dr Bob lui-même, nous ne pouvons rien réussir en ce bas monde à moins de nous y appliquer. Aussi, pour être un bon membre des AA faut-il mettre en pratique les principes du Mouvement... Nous devons, par exemple,... acquérir l'esprit de service. Nous devons aussi nous efforcer d'acquérir une certaine forme de foi. Voilà qui n'est pas facile, particulièrement pour quelqu'un qui a toujours été très matérialiste dans l'esprit de la société d'aujourd'hui. Mais, pour moi, la foi s'acquiert. Elle vient lentement ; elle doit se cultiver. Comme la tâche n'a pas été facile pour moi, je peux comprendre les difficultés des autres...

DR BOB ET LES PIONNIERS, P. 307-308

La peur est souvent une force qui m'empêche d'acquérir et de cultiver le pouvoir de la foi. Elle m'empêche d'apprécier la beauté, la tolérance, le pardon, le service et la sérénité.

PRENDRE RACINE DANS UN SOL NOUVEAU

Les moments de perception peuvent mener à une existence empreinte de sérénité spirituelle, comme j'ai de bonnes raisons de le savoir. Les racines de la réalité, remplacées par les broussailles de la névrose, résisteront aux vents violents de forces qui nous anéantiraient, ou que nous utiliserions pour notre propre destruction.

RÉFLEXIONS DE BILL, P. 173

Quand je suis arrivé chez les AA, j'étais une jeune pousse frêle dont la racine était exposée à l'air. Je ne cherchais que la survie, mais c'était un début. J'ai grandi, je me suis développé, je me suis aussi replié, mais avec l'aide des autres, mon esprit a finalement pris racine. J'étais libre. J'ai agi, j'ai dépéri parfois, je me suis recueilli, j'ai prié, j'ai agi encore et j'ai compris à nouveau. Au-dessus de mes racines, l'esprit a donné naissance à de grosses tiges saines qui s'élèvent toujours plus haut pour servir Dieu.

Ici, sur terre, Dieu continue de nous offrir sans condition l'héritage de son amour supérieur. Ma vie chez les AA m'a placé « sur une base différente... [j'ai] pris racine dans un sol nouveau » (Gros Livre, p.13).

AA N'EST PAS LE REMÈDE UNIVERSEL

Ce serait pure vanité de prétendre que le mouvement des AA peut guérir tous les maux, même l'alcoolisme.

RÉFLEXIONS DE BILL, P. 285

Les premières années où j'étais abstinent, j'étais rempli de vanité et je croyais que les AA offraient la seule thérapie pouvant mener à une vie belle et heureuse. Le mouvement a vraiment été l'instrument de ma sobriété et, encore aujourd'hui après plus de douze ans, je continue de participer aux réunions, au parrainage et au service. Néanmoins, pendant mes quatre premières années de sobriété, j'ai dû recourir à une aide professionnelle parce que ma santé émotive était très défaillante. Il y a aussi ceux et celles qui ont trouvé la sobriété et le bonheur grâce à d'autres associations. Les AA m'ont appris que je n'avais qu'un seul choix : prendre tous les moyens pour favoriser ma sobriété. Le mouvement des AA n'est peut-être pas le remède universel, mais il est le centre de ma vie sans alcool.

APPRENDRE À S'AIMER

L'alcoolisme nous isolait, même si nous étions entourés de gens qui nous aimaient... Nous cherchions notre sécurité émotive en dominant les autres ou en étant dominés... Nous avons encore vainement tenté de retrouver notre sécurité dans quelque malsaine forme de domination ou de dépendance.

RÉFLEXIONS DE BILL, P. 252

En faisant mon inventaire personnel, j'ai découvert que j'entretenais des relations malsaines avec la plupart des personnes qui occupaient une place dans ma vie, mes amis et ma famille entre autres. Je me suis toujours senti seul et à l'écart des autres. J'ai bu pour engourdir ma souffrance affective.

Mais en m'abstenant de boire, en ayant un bon parrain et en pratiquant les Douze Étapes, j'ai pu remonter dans ma propre estime. Les Étapes m'ont d'abord appris à devenir mon propre meilleur ami, puis à m'aimer moi-même, enfin à tendre la main aux autres et à les aimer.

UNE NOUVELLE DIMENSION

Aux derniers stades de notre alcoolisme, la volonté de résister a fui. Par contre, lorsque nous admettons notre défaite totale et lorsque nous devenons entièrement disposés à faire l'essai des principes des AA, l'obsession nous quitte et nous entrons dans une nouvelle dimension : la liberté entre les mains de Dieu tel que nous Le concevons.

RÉFLEXIONS DE BILL, P. 283

J'ai le bonheur de faire partie de ceux qui ont connu cette impressionnante transformation dans leur vie. Quand j'ai passé la porte des AA, seul et désespéré, j'étais découragé au point de croire n'importe quoi. L'une des choses qu'on m'a dites était : « Ça *pourrait* être ton dernier lendemain de la veille, sinon tu peux continuer de tourner en rond. » De toute évidence, l'homme qui m'a dit ça se portait beaucoup mieux que moi. J'ai aimé cette idée d'admettre ma défaite et, depuis, je suis libre ! Mon cœur a entendu ce que ma raison n'avait jamais voulu entendre : « Être impuissant devant l'alcool n'est pas la fin du monde. » Je suis libre – et reconnaissant !

CE N'EST PAS UNE QUESTION DE BONHEUR

Je ne pense qu'il s'agisse de bonheur ou de malheur. Comment affrontons-nous les problèmes ? Comment y puisons-nous les meilleures leçons et les communiquons-nous aux autres, lorsqu'ils acceptent de les recevoir ?

RÉFLEXIONS DE BILL, P. 306

Dans ma recherche du bonheur, j'ai changé d'emploi, je me suis marié, j'ai divorcé, j'ai recherché le dépaysement et je me suis endetté – financièrement, émotionnellement et spirituellement. Chez les AA, j'apprends à grandir. Plutôt que d'attendre le bonheur des gens, des lieux et des événements, je demande à Dieu de m'aider à m'accepter tel que je suis. Quand un problème me dépasse, les Douze Étapes m'aident à grandir par la souffrance. La connaissance que j'en retire pourra peut-être servir à d'autres qui souffrent du même problème. Comme l'ajoute Bill : « Si la souffrance fait son apparition, nous devons consentir à en tirer une leçon et à aider les autres à en faire autant. Si nous nageons dans le bonheur, nous l'acceptons comme un don et rendons grâce à Dieu. »

DE JOYEUSES DÉCOUVERTES

Nous nous rendons compte que nous savons peu de choses. Dieu nous en révélera sans cesse davantage, à vous comme à nous. Dans votre méditation du matin, demandez-Lui ce que vous pouvez faire chaque jour pour celui qui souffre encore. La réponse vous sera donnée si vos propres affaires sont en ordre. Cependant, il est évident que vous ne pouvez transmettre quelque chose que vous n'avez pas. Assurez-vous que vos relations avec Dieu sont bonnes et de grandes choses se produiront pour vous et pour un nombre incalculable d'autres personnes. Pour nous, c'est cela, la Grande Vérité.

LES ALCOOLIQUES ANONYMES, P. 185

La sobriété est un voyage de joyeuses découvertes. Chaque jour apporte de nouvelles expériences et prises de conscience, plus d'espoir et de foi, une plus grande tolérance. Je dois cultiver ces dons, sinon je n'aurai rien à donner.

Pour un alcoolique en voie de rétablissement comme moi, les petites joies quotidiennes que je trouve dans le simple fait de pouvoir vivre une autre journée dans la grâce de Dieu sont de grands événements.

DEUX « MAGNIFIQUES CONCEPTS »

Tout progrès dans les AA peut se résumer en deux mots : humilité et responsabilité. Notre développement spirituel peut se mesurer de façon précise par notre degré d'adhésion à ces magnifiques concepts.

RÉFLEXIONS DE BILL, P. 271

Savoir reconnaître et respecter les opinions, les réalisations et les prérogatives des autres, et accepter d'avoir tort m'indiquent montrent la voie de l'*humilité*. Mettre en pratique les principes des AA dans tous les domaines de ma vie m'apprend le sens des responsabilités. En faisant honneur à ces préceptes, je donne de la crédibilité à la Quatrième Tradition et à toutes les autres. Le mouvement des Alcooliques anonymes a élaboré une philosophie de la vie pleine de solides motivations et riche en valeurs morales et en principes très valables ; et cette philosophie peut s'appliquer bien au-delà des frontières du monde alcoolique. Pour respecter ces préceptes, il me suffit de prier et de me préoccuper de chaque être humain comme d'un frère.

L'AUTONOMIE DU GROUPE

Certains peuvent penser que nous avons poussé jusqu'à l'extrême le principe de l'autonomie de groupe. Par exemple, dans sa « forme intégrale » originelle, la Quatrième Tradition dit : « Dès que deux ou trois alcooliques se rassemblent pour leur sobriété, ils peuvent se considérer comme un groupe des AA, pourvu qu'en tant que groupe, ils ne soient affiliés à aucun autre organisme »... Cette très grande liberté n'est pourtant pas aussi risquée qu'elle le semble.*

LE MOUVEMENT DES AA DEVIENT ADULTE, P. 108

À l'époque où je buvais, j'ai abusé de toutes les libertés de la vie. Comment les AA pouvaient-ils s'attendre à ce que je respecte cette « liberté absolue » que donne la Quatrième Tradition ? Apprendre le respect est devenu le travail de toute une vie.

Les AA m'ont fait accepter pleinement la nécessité de la discipline, de même que la nécessité de la soutenir intérieurement, si je ne veux pas en payer le prix. Cette nécessité s'applique également aux groupes. La Quatrième Tradition me permet de prendre une orientation spirituelle, malgré mon inclination pour l'alcool.

*Citation inexacte ; Bill se réfère à la Troisième Tradition.

UN GRAND PARADOXE

Leurs souffrances et leur rétablissement constituent un héritage que les alcooliques peuvent facilement se transmettre l'un à l'autre. C'est le don que Dieu nous a fait et la transmission de ce don à nos semblables est le seul objectif qui anime aujourd'hui les AA dans tout l'univers.

LES DOUZE ÉTAPES ET LES DOUZE TRADITIONS, P. 173

Le grand paradoxe des AA, c'est que la seule façon dont je peux conserver le précieux don de la sobriété est d'en faire cadeau.

Mon objectif primordial est de demeurer abstinent. Chez les AA, je n'ai pas d'autre objectif et il est très important, car c'est une question de vie ou de mort. Si je m'en écarte, je suis perdu. Mais le mouvement n'existe pas seulement pour moi ; il est là aussi pour l'alcoolique qui souffre encore. Des légions d'alcooliques en voie de rétablissement arrivent à demeurer abstinents en partageant leur vécu avec leurs frères et sœurs alcooliques. La façon pour moi de me rétablir, c'est de montrer à d'autres que ce partage nous fait grandir ensemble dans la grâce d'une Puissance supérieure, en route vers un heureux destin.

GUÉRIR LE CŒUR ET L'ESPRIT

Nous avons avoué à Dieu, à nous-mêmes et à un autre être humain la nature exacte de nos torts.

LES DOUZE ÉTAPES ET LES DOUZE TRADITIONS, P. 64

Puisque Dieu se manifeste vraiment à moi par l'intermédiaire des autres, il est évident que si j'éloigne les autres, j'éloigne aussi Dieu. Il est plus près de moi que je le pense et je peux le connaître en aimant les gens et en me laissant aimer d'eux. Par contre, je ne peux ni aimer ni être aimé lorsque je laisse mes secrets bloquer le chemin.

Je suis gouverné par la partie de moi-même que je refuse de voir. Il faut donc que j'accepte d'examiner mon côté sombre si je veux guérir mon esprit et mon cœur. C'est là la route de la liberté. Je dois marcher dans le noir pour trouver la lumière, je dois cheminer dans la peur pour atteindre la paix.

En révélant mes secrets et, par conséquent, en me débarrassant de mon sentiment de culpabilité, je peux vraiment changer ma façon de penser et en changeant ma façon de penser, je peux me changer moi-même. Mon avenir dépend de mes pensées. Ce que je pense aujourd'hui détermine ce que je serai demain.

ÉCLAIRER LE SOMBRE PASSÉ

Accrochez-vous à l'idée que, dans les mains de Dieu, votre noir passé est ce que vous possédez de plus précieux : la clé de la vie et du bonheur des autres. Avec cette clé, vous pourrez les sauver de la misère et de la mort.

LES ALCOOLIQUES ANONYMES, P. 140

Mon passé n'est plus une autobiographie mais un livre de référence que je peux consulter et prêter. Aujourd'hui, en me rendant au travail, il me vient à l'esprit une très belle image. Même si cette journée est sombre, comme ça arrive parfois, les étoiles n'en seront que plus brlllantes plus tard. Très bientôt, je serai appelé à témoigner de leur éclat. Ce jour-là, tout mon passé fera partie de moi parce qu'il est une clé et non un verrou.

NETTOYER LA MAISON

D'une certaine manière, il semble moins embarrassant de nous trouver seuls avec Dieu que de faire face à une autre personne. Tant que nous ne prenons pas la peine de nous arrêter pour parler ouvertement de ce que nous avons caché si longtemps, notre bonne disposition à mettre de l'ordre dans nos affaires reste encore grandement théorique.

LES DOUZE ÉTAPES ET LES DOUZE TRADITIONS, P. 70

Il n'était pas rare que je parle à Dieu – et à moi-même – de mes défauts. Mais m'asseoir en face d'une autre personne pour discuter ouvertement de ces questions intimes était autrement difficile. Toutefois, cette expérience m'a apporté un soulagement semblable à celui que j'avais ressenti la première fois que j'avais admis être alcoolique. J'ai commencé à apprécier la dimension spirituelle du programme et je me suis rendu compte que la Cinquième Étape n'est qu'une introduction à tout ce qui reste à venir dans les sept Étapes.

« PARFAITEMENT HONNÊTES »

Nous devons être parfaitement honnêtes avec quelqu'un si nous voulons vivre longtemps ou heureux ici-bas.

LES ALCOOLIQUES ANONYMES, P. 83

L'honnêteté, comme toutes les vertus, est faite pour être partagée. J'ai commencé à l'acquérir après avoir raconté à quelqu'un l'histoire de ma vie, afin de trouver ma place dans le mouvement. Par la suite, j'ai parlé de ma vie dans le but d'aider un nouveau ou une nouvelle à trouver sa place parmi nous. Grâce à ce partage, j'apprends à devenir honnête dans tout ce que je fais et je découvre que la volonté de Dieu à mon égard se réalise à cause de ma franchise et de ma bonne volonté.

LA FORÊT ET LES ARBRES

... il est facile, à coup de rationalisations et de vœux pieux, de déformer ce qui se présente spontanément à notre esprit. L'avantage de nous adresser à une autre personne, c'est que nous pouvons sur-le-champ recevoir ses commentaires et ses conseils en ce qui concerne notre situation...

LES DOUZE ÉTAPES ET LES DOUZE TRADITIONS, P. 70

Je ne compte plus les fois où je me suis retrouvé en colère et frustré, et où je me suis dit : « Les arbres m'empêchent de voir la forêt ! » J'ai fini par m'apercevoir que ce dont j'avais besoin quand je souffrais ainsi, c'était de quelqu'un qui puisse m'aider à distinguer la forêt des arbres, me suggérer un meilleur sentier, m'aider à éteindre les feux ainsi qu'à éviter les pierres et les embûches.

Quand je suis perdu dans la forêt, je demande à Dieu de me donner le courage d'appeler un membre des AA.

« NE CACHEZ RIEN »

Les véritables critères dans cette expérience sont, d'une part, votre bonne volonté à vous confier à quelqu'un, et d'autre part, votre entière confiance en celui ou celle à qui vous ferez part de ce premier examen fidèle de vous-mêmes... Si vous ne cachez rien, votre soulagement grandira à chaque minute. Certaines émotions refoulées depuis des années feront surface et s'évanouiront comme par magie aussitôt que vous les aurez révélées. Votre douleur s'apaisera, faisant place à une tranquillité apaisante.

LES DOUZE ÉTAPES ET LES DOUZE TRADITIONS, P. 72

Quand j'ai commencé à assister aux réunions des AA, un tout petit germe de sentiments enfermés en moi a commencé à croître et la connaissance de moi-même est devenue le but de mon apprentissage. Cette nouvelle compréhension de moi-même a changé ma façon de réagir devant les circonstances de la vie. Je me suis aperçu que j'avais le droit de faire des choix et que les vieilles habitudes qui imposaient leur dictature avaient desserré leur emprise.

Je crois qu'en cherchant Dieu je peux trouver une meilleure façon de vivre ; je lui demande tous les jours de m'aider à vivre une vie sobre.

LE RESPECT DES AUTRES

Nous faisons ces confidences à quelqu'un qui va comprendre, mais qui n'en sera pas affecté. Si la règle nous impose d'être durs avec nous-mêmes, elle nous demande d'être toujours pleins d'égards pour les autres.

LES ALCOOLIQUES ANONYMES, P. 83

Ce passage m'enseigne le respect des autres. Je ne dois reculer devant rien pour me libérer si je veux trouver la paix d'esprit que je recherche depuis si longtemps, mais je ne dois pas agir aux dépens des autres. L'égoïsme n'a pas sa place dans le mode de vie des AA.

Pour la Cinquième Étape, il est sage de choisir une personne avec qui je partage un but commun car si cette personne ne me comprend pas, mon progrès spirituel pourrait s'en trouver retardé et je pourrais même être exposé à une rechute. Au moment de choisir l'homme ou la femme à qui je ferai mes confidences, je demande donc les lumières de Dieu.

UN LIEU DE REPOS

Chacune des Douze Étapes des AA nous demande d'aller à l'encontre de nos désirs naturels... toutes dégonflent notre ego. Quand on en vient au dégonflement de l'ego, peu d'Étapes sont aussi rudes à franchir que la Cinquième. Par contre, presque aucune n'est aussi indispensable à une sobriété durable et à la paix d'esprit.

LES DOUZE ÉTAPES ET LES DOUZE TRADITIONS, P. 64

Après avoir écrit la liste de mes défauts, je n'avais pas envie d'en parler, mais j'ai décidé qu'il était temps de cesser de porter seul ce fardeau. Il me fallait confesser ces défauts à quelqu'un. J'avais lu et entendu dire que je ne pourrais pas demeurer abstinent sans ça. La Cinquième Étape m'a apporté un sentiment d'appartenance, de l'humilité et de la sérénité quand je l'ai mise en pratique dans ma vie de tous les jours. Il était important que j'avoue mes défauts dans l'ordre suggéré par cette Étape : « à Dieu, à nous-mêmes et à un autre être humain ». Le fait de commencer par Dieu m'a préparé à les avouer ensuite à moi-même, puis à une autre personne. Comme il est expliqué à propos de cette Étape, la sensation de me trouver en union avec Dieu et avec une autre personne m'a conduit dans un lieu de repos où je pouvais me préparer aux Étapes suivantes, en vue d'une sobriété pleine et féconde.

AFFRONTER LA PEUR

Si nous nous accrochons encore à quelque chose dont nous ne voulons pas nous départir, nous demandons à Dieu de nous aider à y renoncer.

LES ALCOOLIQUES ANONYMES, P. 85

Après avoir fait ma Cinquième Étape, j'ai pris conscience que tous mes défauts provenaient de mon besoin de sécurité et d'amour. Utiliser ma seule volonté pour tenter d'en venir à bout aurait seulement transformé ce besoin en obsession. Dans la Sixième Étape, j'ai intensifié le travail entrepris dans les trois premières : méditer sur l'Étape en la répétant constamment, assister à des réunions, suivre les suggestions de mon parrain, lire, chercher à l'intérieur de moi-même. Pendant mes trois premières années d'abstinence, j'avais peur de prendre l'ascenseur seul. Un jour, j'ai décidé d'affronter cette peur. J'ai prié Dieu de m'aider, je suis entré dans l'ascenseur et là, dans un coin, j'ai trouvé une dame qui pleurait. Elle m'a raconté que, depuis la mort de son mari, elle avait une peur morbide des ascenseurs. Alors, oubliant ma propre peur, je l'ai réconfortée. Cette expérience spirituelle m'a aidé à voir que la bonne volonté est la clé qui ouvre la porte des autres Étapes pour atteindre le rétablissement. Aide-toi et le Ciel t'aidera.

ENFIN LIBRE !

L'autre dividende remarquable que nous pouvons espérer de l'aveu de nos défauts à un autre être humain est l'humilité, un mot souvent mal compris... l'humilité consiste à reconnaître clairement qui nous sommes et ce que nous sommes, et à chercher sincèrement ensuite à devenir ce que nous pourrions être.

LES DOUZE ÉTAPES ET LES DOUZE TRADITIONS, P. 68

Je savais, dans mon for intérieur, que si je voulais un jour connaître la joie, le bonheur et la liberté, je devais raconter ma vie antérieure à une autre personne. Après l'avoir fait, j'ai connu une joie et un soulagement indescriptibles. Presque tout de suite après ma Cinquième Étape, je me suis senti libéré de l'esclavage de mon ego et de l'esclavage de l'alcool. Trente-six ans plus tard, je suis toujours libre, un jour à la fois. J'ai découvert que Dieu pouvait faire pour moi ce que je ne pouvais pas faire pour moi-même.

UN NOUVEAU SENTIMENT D'APPARTENANCE

Tant que nous n'avons pas pu parler ouvertement de nos conflits intérieurs, et entendre d'autres personnes en faire autant, nous ne nous sommes pas intégrés au groupe.

LES DOUZE ÉTAPES ET LES DOUZE TRADITIONS, P. 67

Après quatre ans dans les AA, j'ai pu me libérer de ce fardeau d'émotions enfouies au fond de moi qui m'avaient tant fait souffrir. Avec l'aide du mouvement et de conseillers extérieurs, j'ai été soulagé de ma souffrance et j'ai éprouvé un sentiment d'appartenance et de paix. J'ai aussi ressenti de la joie et de l'amour pour Dieu comme jamais auparavant. Le pouvoir de la Cinquième Étape me remplit d'étonnement.

ACCEPTER LE PASSÉ

L'expérience des AA nous a appris que nous ne pouvons pas vivre seuls avec les problèmes qui nous accablent et avec les défauts qui les causent ou les aggravent. Si... à la lumière de la Quatrième Étape, nous avons vu se détacher en relief des expériences que nous aimerions mieux oublier... alors, nous ressentons avec plus d'urgence que jamais le besoin de ne plus vivre seuls avec les fantômes traumatisants de notre passé. Nous devons en parler à quelqu'un.

LES DOUZE ÉTAPES ET LES DOUZE TRADITIONS, P. 64

Ce qui est fait est fait et ne peut être changé. Ce qui peut être changé, par contre, c'est mon attitude au sujet du passé. Il suffit que j'en parle avec ceux et celles qui sont passés par là et avec mon parrain. Je peux souhaiter que le passé n'ait jamais existé, mais si je peux aussi modifier mes actes à la lumière de ce que j'ai fait, mon attitude changera. Je n'aurai plus à essayer de chasser le passé de mon esprit. Je peux changer mes sentiments et mes attitudes mais pour cela, je dois agir et demander l'aide de mes frères et sœurs alcooliques.

LA MÉTHODE LA PLUS FACILE

... si nous brûlons cette étape vitale, nous pourrions ne jamais surmonter notre problème d'alcool.

LES ALCOOLIQUES ANONYMES, P. 81

Il est certain que je n'étais pas très pressé de découvrir qui j'étais vraiment, surtout à un moment où les souffrances de l'alcool étaient encore suspendues au-dessus de ma tête comme un nuage menaçant. Mais j'ai vite entendu parler aux réunions de ce membre qui ne voulait tout simplement pas faire sa Cinquième Étape et qui venait quand même aux réunions, tout tremblant à l'idée d'avoir à revivre son passé. La méthode la plus facile est de faire ces Étapes qui me libèrent de ma maladie fatale et de mettre ma foi dans le mouvement et dans ma Puissance supérieure.

JE SUIS « CORRECT »

Combien de fois les nouveaux n'ont-ils pas tenté de cacher certains faits de leur vie... ils ont eu recours à des méthodes plus faciles... Ils n'en avaient pas encore appris assez sur l'humilité...

LES ALCOOLIQUES ANONYMES, P. 81-82

Humilité ressemble tellement à « humiliation ». En fait, être humble, c'est avoir la capacité de me regarder honnêtement et de m'accepter tel que je suis. Je n'ai plus besoin d'être « le plus intelligent », ni « le plus stupide », ni aucun des autres « le plus ». Au bout du compte, je suis « correct ». Mais il est plus facile de m'accepter moi-même si je raconte toute ma vie. Lorsque je ne peux parler aux réunions, il me faut un parrain, quelqu'un à qui je puisse confier « certains faits » qui pourraient m'amener à boire de nouveau, qui pourraient me conduire à la mort. J'ai besoin de toutes les Étapes. J'ai besoin de la Cinquième Étape pour apprendre la vraie humilité. Les méthodes plus faciles ne marchent pas.

AVEC DIEU, LA PAIX

Une chose est claire : celui qui vit dans le ressentiment profond finit par mener une existence futile et malheureuse... Mais pour l'alcoolique, dont le salut dépend du maintien et de l'évolution de son expérience spirituelle, le ressentiment est extrêmement grave.

LES ALCOOLIQUES ANONYMES, P. 74

Sans Dieu,
Pas de paix.
Avec Dieu,
La paix.

PARDONNER AUX AUTRES...

Souvent, c'est en travaillant à cette Étape avec l'aide de notre parrain ou de notre conseiller spirituel que nous avons senti, pour la première fois, que nous étions vraiment capables de pardonner aux autres les pires offenses dont nous les pensions coupables envers nous. Notre inventaire moral nous avait persuadés que le pardon total était souhaitable, mais ce n'est qu'en nous attaquant résolument à la Cinquième Étape que nous avons acquis la certitude profonde d'être dignes de pardon et de pouvoir pardonner aussi.

LES DOUZE ÉTAPES ET LES DOUZE TRADITIONS, P. 67

Quelle merveilleuse sensation donne le pardon ! Comme il me révèle beaucoup sur ma nature émotive, psychologique et spirituelle ! Tout ce qu'il faut, c'est le désir de pardonner ; Dieu fera le reste.

... ET SE PARDONNER

Dans des circonstances très difficiles, j'ai dû à maintes reprises leur pardonner et me pardonner. Avez-vous essayé cela récemment ?

RÉFLEXIONS DE BILL, P. 268

Se pardonner à soi-même et pardonner aux autres, ce sont là deux courants d'une même rivière. Tous les deux peuvent être ralentis ou bloqués par le barrage du ressentiment. Lorsque le barrage est levé, les deux courants peuvent couler librement. Les Étapes me permettent de voir comment le ressentiment s'est accumulé et a fini par bloquer ces courants dans ma vie. Elles me procurent le moyen – par la grâce de Dieu tel que je le conçois – de lever le barrage de mes rancunes. Parce que j'ai recours à cette solution, je trouve la grâce dont j'ai besoin pour me pardonner et pardonner aux autres.

LA LIBERTÉ D'ÊTRE MOI-MÊME

Si nous sommes sérieux et appliqués dans les efforts que demande cette phase de notre évolution, nous serons étonnés des résultats, même après n'avoir parcouru que la moitié du chemin. Nous connaîtrons une nouvelle liberté et un nouveau bonheur.

LES ALCOOLIQUES ANONYMES, P. 94

Ma première vraie liberté sera de ne pas avoir besoin de prendre un verre aujourd'hui. Si je la désire vraiment, je vais m'appliquer à la pratique des Douze Étapes qui m'apporteront le bonheur de cette liberté, parfois lentement, parfois rapidement. D'autres libertés suivront, et c'est un nouveau bonheur que d'en faire l'inventaire. J'ai découvert une nouvelle liberté, aujourd'hui, celle d'être moi-même et j'ai aussi la liberté d'être meil-leur que jamais.

DONNER SANS RIEN DEMANDER EN RETOUR

Pour s'être dévoué sans rien demander en retour, il sait très bien que sa vie s'est enrichie d'un dividende de plus.

RÉFLEXIONS DE BILL, P. 69

À mon entrée dans le mouvement, l'idée de donner sans rien demander en retour n'a pas été facile à comprendre. Je me méfiais quand les autres tentaient de m'aider. Je me disais : « Qu'est-ce qu'ils vont me demander en échange ? » Mais j'ai vite découvert la joie d'aider un autre alcoolique et j'ai compris pourquoi les autres avaient été à mes côtés au début. Mon attitude a changé et j'ai cherché à aider les autres. J'étais parfois impatient dans mon grand désir de leur faire connaître les joies de la sobriété, de la belle vie retrouvée. Quand ma vie est remplie d'un Dieu d'amour, tel que je le conçois, et que je transmets cet amour à d'autres alcooliques, je ressens une richesse spéciale, difficile à expliquer.

UNE JOURNÉE À LA FOIS

Surtout, vis une journée à la fois.

RÉFLEXIONS DE BILL, P. 11

Pourquoi me faire accroire que je ne dois pas prendre un verre aujourd'hui seulement quand je sais parfaitement bien que je ne dois plus boire pendant le restant de mes jours ? En fait, je ne me fais rien accroire, car un jour à la fois est probablement la seule façon pour moi d'atteindre l'objectif à long terme de l'abstinence.

Si je décide de ne plus boire jamais aussi longtemps que je vivrai, je me raconte des histoires. Car, comment puis-je être sûr que je ne boirai pas quand je n'ai aucune idée de ce que me réserve l'avenir ?

Sur une base quotidienne, je crois pouvoir m'abstenir de prendre un verre pendant la journée. J'entreprends donc ma journée avec confiance et, le soir venu, ma réussite est une récompense. La joie de la réussite est une sensation agréable qui me donne envie d'en redemander !

LA LISTE DES BIENFAITS REÇUS

Un exercice que je fais consiste à essayer de dresser un inventaire complet des bienfaits que j'ai reçus...

RÉFLEXIONS DE BILL, P. 37

Pourquoi être reconnaissant ? Je me suis enfermé et j'ai commencé à dresser la liste de tous les bienfaits dont je ne pouvais certainement pas m'accorder le mérite, à commencer par le fait d'être sain de corps et d'esprit. À ce jour, j'ai vécu soixante-quatorze années ; ma liste a rempli deux pages et il m'a fallu deux heures pour l'établir. J'ai inscrit la santé, la famille, l'argent, les AA... tout l'éventail.

Chaque jour, dans mes prières, je demande à Dieu de m'aider à ne pas oublier cette liste et à me sentir plein de gratitude toute la journée. En me la rappelant, je ne peux pas prétendre que Dieu m'en veut.

« NOUS »

Nous... (Le premier mot de la Première Étape)

LES DOUZE ÉTAPES ET LES DOUZE TRADITIONS, P. 23

Quand je buvais, tout ce qui me préoccupait c'était « je, me, moi ». Une telle obsession du moi, une telle maladie de l'âme, un tel égoïsme spirituel m'ont rendu esclave de la bouteille pendant plus de la moitié de ma vie.

Le voyage vers la découverte de Dieu et de sa volonté, un jour à la fois, a commencé avec le premier mot de la Première Étape, « Nous ». Le fait que nous soyons nombreux donne du pouvoir, de la force, de la sécurité et, à un alcoolique comme moi, il donne la vie. Si j'avais essayé de m'en sortir seul, je serais probablement mort. Avec l'aide de Dieu et d'un autre alcoolique, j'ai un but divin dans la vie... je suis devenu un canal par lequel Dieu administre le remède de son amour.

SANTÉ SPIRITUELLE

D'ailleurs, quand la maladie spirituelle n'y est plus, nous nous relevons physiquement et mentalement.

LES ALCOOLIQUES ANONYMES, P. 72

J'ai beaucoup de mal à accepter ma maladie spirituelle parce que j'éprouve un grand orgueil que je dissimule sous ma réussite matérielle et ma puissance intellectuelle. L'intelligence et l'humilité ne sont pas incompatibles, à condition que l'humilité prime. Pour beaucoup, dans le monde moderne, la poursuite du prestige et de la richesse est le but ultime. Essayer d'être à la mode et chercher à paraître meilleur que je ne le suis en réalité, c'est être malade spirituellement.

Reconnaître et avouer mes faiblesses, c'est commencer à recouvrer ma santé spirituelle. C'est un signe de santé spirituelle que d'être capable de demander à Dieu tous les jours de m'éclairer, de me faire voir sa volonté et de me donner la force de l'exécuter. Je suis en excellente santé spirituelle quand je m'aperçois que plus je m'améliore, plus j'ai besoin des autres.

« HEUREUX, JOYEUX ET LIBRES »

Nous sommes certains que Dieu nous veut heureux, joyeux et libres. Nous ne pouvons souscrire à l'idée que la vie est une vallée de larmes, bien qu'elle l'ait déjà été pour un grand nombre d'entre nous. Mais il est évident que nous avons été la cause de notre propre misère. Ce n'est pas l'œuvre de Dieu. Évitons d'inventer le malheur à loisir et tirons profit des problèmes, lorsqu'ils surviennent, en nous réjouissant de l'occasion qui nous est donnée de démontrer Sa toute-puissance.

LES ALCOOLIQUES ANONYMES, P. 150

Pendant des années, j'ai cru en un Dieu vengeur que je blâmais pour mes malheurs. J'ai appris que je devais déposer les « armes » de mon ego pour prendre les « outils » du programme des AA. Je n'ai pas à me battre contre ce programme car il est un cadeau et je ne me suis jamais battu en recevant un cadeau. Si je continue parfois à me battre, c'est que je m'accroche encore à mes « vieilles idées, mais le résultat est nul ».

UNE GRATITUDE ACTIVE

La gratitude devrait être tournée vers l'avenir et non vers le passé.

RÉFLEXIONS DE BILL, P. 29

Je suis très reconnaissant à ma Puissance supérieure de m'avoir donné une deuxième chance de vivre une vie utile. Grâce aux Alcooliques anonymes, j'ai recouvré la raison, et les promesses du mouvement se réalisent dans ma vie. Je suis reconnaissant d'être libéré de l'esclavage de l'alcool. Je suis reconnaissant d'avoir la paix d'esprit et la possibilité de grandir, mais ma gratitude doit me pousser à regarder l'avenir plutôt que le passé. Je ne peux pas rester abstinent en me remémorant les réunions d'hier ou les rencontres de la Douzième Étape. Ma gratitude doit se traduire par des actes *aujourd'hui*. Notre fondateur dit que la meilleure façon de montrer sa gratitude est de transmettre le message à d'autres. Sans les actes, ma gratitude n'est qu'une émotion agréable. Je dois la concrétiser en mettant en pratique la Douzième Étape, en transmettant le message et en appliquant les principes dans tous les domaines de ma vie. Je suis reconnaissant d'avoir la chance de transmettre le message aujourd'hui.

TRANSFORMER LE NÉGATIF EN POSITIF

Dans le programme des AA, notre croissance spirituelle et émotionnelle ne dépend pas tant de nos succès que de nos échecs et de nos revers. Si tu en tiens compte, je crois que ta rechute devrait te stimuler plutôt que de t'abattre.

RÉFLEXIONS DE BILL, P. 184

Au sujet de la souffrance et des obstacles qu'ont connus nos fondateurs dans la mise sur pied du mouvement AA, Bill W. nous a laissé un message clair : une rechute peut être une expérience positive qui nous aidera à trouver l'abstinence et à mener une vie sobre. La rechute donne du poids à ce que j'entends sans cesse dans les réunions : « Ne prends pas un premier verre ! » Elle renforce en moi la conviction que ma maladie est progressive, et elle me fait voir la nécessité, la beauté et l'humilité de notre programme spirituel. Les vérités les plus simples ne me parviennent que par des voies compliquées lorsque je me laisse mener par mon ego.

« PAS NÉCESSAIRE DE LARMOYER... »

Jour après jour, nous essayons de nous approcher un peu de la perfection de Dieu. C'est pourquoi il ne faut pas se laisser ronger...

RÉFLEXIONS DE BILL, P. 15

Quand je me suis rendu compte qu'il n'y avait pas un seul... « ne pas » dans les Douze Étapes des AA, j'ai été troublé parce que cette découverte m'ouvrait une immense porte. C'est à ce moment-là seulement que j'ai pris conscience de ce qu'est le mouvement des AA pour moi.

Ce n'est pas un programme d'interdictions, mais d'actions.
Ce n'est pas une loi martiale, mais une liberté.
Ce n'est pas pleurer sur mes défauts, mais suer à la tâche pour les corriger.
Ce n'est pas une pénitence, mais le salut.
Ce n'est pas « Malheur à moi ! » pour mes péchés passés et présents.
C'est « Dieu soit loué ! » pour les progrès que je fais aujourd'hui.

DES DROITS ÉGAUX

La plupart des groupes AA, à un moment donné, s'enivrent de règlements... Après un certain temps, la peur et l'intolérance se calment... Nous ne souhaitons refuser à personne la chance de se rétablir de l'alcoolisme. Nous souhaitons être aussi ouverts que nous le pouvons, jamais fermés.

LA TRADITION DES AA : SON DÉVELOPPEMENT, P. 14 ET 16

Chez les AA, on m'a laissé entièrement libre et on m'a accepté tel que j'étais. Mon admission ne dépendait pas de ma personnalité, de ma richesse ou de mon éducation, et j'en suis reconnaissant. Je me demande souvent si je suis aussi égalitaire face aux autres ou si je leur refuse le droit d'être différents. Aujourd'hui, j'essaie de remplacer ma peur et mon intolérance par la foi, la patience, l'amour et l'accueil, que ce soit dans mon groupe des AA, à la maison ou au travail. J'essaie d'avoir une attitude positive partout où je suis.

Je n'ai ni le droit ni la responsabilité de juger les autres. Selon l'attitude que j'aurai, les nouveaux membres des AA, les membres de ma famille, mes amis m'apparaîtront comme des menaces ou des occasions d'apprendre. Quand je re-pense à certains de mes jugements passés, je vois clairement comment ma fausse vertu a pu me nuire au niveau spirituel.

LA VRAIE TOLÉRANCE

Le désir d'arrêter de boire est la seule condition pour être membre des AA.

LES DOUZE ÉTAPES ET LES DOUZE TRADITIONS, P. 159

C'est dans le Préambule que j'ai entendu pour la première fois la version abrégée de la Troisième Tradition. À mes débuts chez les AA, je ne pouvais pas m'accepter, ni accepter mon alcoolisme ou une Puissance supérieure. Si j'avais dû remplir des conditions d'ordre physique, mental, moral ou religieux pour être membre, je serais mort aujourd'hui. Dans ses propos enregistrés sur les Traditions, Bill W. a dit que la Troisième Tradition était la charte de la liberté individuelle. Ce qui m'a le plus impressionné, c'est le sentiment d'acceptation de la part des membres qui mettaient en pratique la Troisième Tradition en me tolérant et en m'acceptant. Je crois que l'acceptation, c'est de l'amour, et que l'amour, c'est ce que Dieu veut pour nous.

NOTRE OBJECTIF FONDAMENTAL

Plus les AA s'en tiennent à leur but premier, plus ils auront d'influence partout.

LE MOUVEMENT DES AA DEVIENT ADULTE, P. 113

Je ressens de la gratitude quand je songe aux débuts de notre mouvement et à nos bons et sages précurseurs, qui proclamaient que nous ne devions pas nous laisser distraire de notre but fondamental : transmettre le message à l'alcoolique qui souffre encore.

Je désire assurer de mon plus grand respect toutes les personnes qui œuvrent dans le domaine de l'alcoolisme, en n'oubliant jamais que les AA n'endossent aucune autre cause que la leur. Je dois me rappeler que le mouvement des AA ne détient pas le monopole de la vérité. C'est en toute humilité que je remercie Dieu d'avoir rendu possible son existence.

ÊTRE PRÊTS À SERVIR LES AUTRES

... il n'est pas étonnant que notre association en ait conclu qu'elle n'avait qu'une seule mission primordiale : celle de transmettre le message des AA à ceux qui ne savent pas qu'on peut s'en sortir.

LES DOUZE ÉTAPES ET LES DOUZE TRADITIONS, P. 173

La lumière de la liberté illumine les membres des AA de tous ses feux, alors que chacun incite un frère ou une sœur à croître. Les Étapes du rétablissement ne constituent que des petits pas, mais chacune devient un barreau de l'échelle qui me fait sortir du puits du désespoir et accéder à un nouvel espoir. L'honnêteté est l'outil qui me permet de briser mes chaînes. Un parrain attentif m'aide à entendre le message qui me guide vers la liberté.

Je demande à Dieu de me donner le courage de vivre de manière à ce que le mouvement témoigne de sa grâce. Cette mission me libère et me permet de partager avec les autres, dans un esprit de service, les bienfaits du rétablissement.

UNE ATTITUDE DIFFÉRENTE

Désormais nous envisagerons la vie d'une façon différente.

LES ALCOOLIQUES ANONYMES, P. 95

Quand je buvais, j'avais une attitude totalement égoïste, égocentrique ; mon plaisir et mon confort venaient en premier lieu. Maintenant que je suis abstinent, la recherche de ma satisfaction a commencé à s'atténuer. Toute mon attitude face à la vie et aux gens est en train de se transformer. Pour moi, le premier « A » de notre sigle représente l'*attitude*.

Mon attitude est transformée par le second « A » qui représente l'*action*. En mettant en pratique les Étapes, en assistant à des réunions et en transmettant le message, je pourrai recouvrer la raison. « Action », voilà le mot magique ! Grâce à une attitude positive et serviable et à mon action au sein des AA, je peux demeurer abstinent et aider les autres à le devenir. Aujourd'hui, mon attitude est d'être disposé à tout faire pour demeurer abstinent !

UN SENTIER VERS LE SOMMET

Voici les étapes que nous avons suivies...

LES ALCOOLIQUES ANONYMES, P. 66

Ces mots servent d'introduction aux Douze Étapes. Simples et directs, ils écartent toute considération psychologique ou philosophique sur le bien-fondé des Étapes. Ils décrivent ce que j'ai fait : j'ai suivi les Étapes et je suis devenu abstinent. Ces mots ne disent pas que je dois suivre le même sentier que ceux et celles qui m'ont précédé, mais qu'un chemin mène à la sobriété et que je devrai le découvrir. Il s'agit d'un chemin nouveau qui ouvre sur une lumière à perte de vue, au sommet de la montagne. Les Étapes m'indiquent des endroits sûrs où poser les pieds, ainsi que les gouffres à éviter. Elles me fournissent les outils nécessaires aux nombreuses péripéties du voyage solitaire de mon âme. Parler de ce voyage, c'est partager mon expérience, ma force et mon espoir avec d'autres.

UN OISEAU ET UNE PRIÈRE

... alors nous passons à la Sixième Étape. Nous avons déjà dit et répété que la bonne volonté est indispensable.

LES ALCOOLIQUES ANONYMES, P. 85

Les Quatrième et Cinquième Étapes avaient été difficiles, mais valaient la peine. Maintenant, je bloquais sur la Sixième Étape. En désespoir de cause, j'ai ouvert mon Gros Livre et je suis tombé sur cette citation. Pendant que je priais pour obtenir de la bonne volonté, j'ai levé les yeux et j'ai vu un gros oiseau s'élever dans le ciel. Je l'ai regardé s'abandonner soudainement aux puissants courants d'air chaud de la montagne. Emporté, piquant vers le bas, remontant en flèche, il semblait réussir des choses impossibles pour un simple oiseau. J'ai pris conscience que, s'il avait voulu « reprendre les commandes » et essayer de voler en se fiant à sa seule force, il aurait tout gâché. Cet exemple m'a donné envie de réciter la prière de la Septième Étape.

Il n'est pas facile de connaître la volonté de Dieu dans toutes les circonstances, mais je dois rechercher les courants ascendants et me préparer à agir. Pour cela la prière et la méditation viennent à mon secours ! Puisque tout seul je ne suis rien, je demande à Dieu de me faire connaître sa volonté et de me donner la force et le courage de l'exécuter aujourd'hui.

RENONCER À L'ANCIEN MOI

Nous relisons attentivement les cinq premiers points, nous essayons de voir si nous n'aurions pas omis quelque chose car nous construisons une arche que nous allons traverser pour devenir enfin un être libre... Sommes-nous prêts maintenant à laisser Dieu nous enlever toutes les choses que nous avions reconnues comme répréhensibles en nous ?

LES ALCOOLIQUES ANONYMES, P. 85

La Sixième Étape est la dernière étape « préparatoire ». Même si j'ai déjà prié à profusion dans les six premières Étapes, je n'ai encore rien demandé officiellement à ma Puissance supérieure. J'ai reconnu mon problème, j'en suis venu à croire qu'il y avait une solution, j'ai pris la décision de la rechercher, j'ai « fait le ménage ». Maintenant, je me demande : suis-je prêt à vivre une vie sobre, différente ? À renoncer à mon ancien moi ? Je dois déterminer si je suis vraiment prêt à changer. Je passe en revue ce que j'ai fait et je me mets à la disposition de Dieu pour qu'il m'enlève mes défauts. À l'Étape suivante, je dois pouvoir dire à mon Créateur que je suis prêt et lui demander son aide. Si je n'ai rien négligé dans la construction des fondations et si je suis disposé à changer, je peux passer à l'Étape suivante. « Si nous nous accrochons encore à quelque chose dont nous ne voulons pas nous départir, nous demandons à Dieu de nous aider à y renoncer. » (Les Alcooliques anonymes, p. 85)

ENTIÈREMENT PRÊTS ?

Voici l'Étape qui distingue les adultes des enfants. ... Ainsi donc, entre « les enfants et les adultes », il y a la même différence qu'entre tendre vers un objectif que l'on se fixe soi-même et l'objectif parfait déterminé par Dieu. ... Il nous est suggéré de pleinement consentir à tendre vers la perfection. ... Si nous disons : « Non, jamais ! », notre cœur se ferme à la grâce de Dieu. ... Le moment est donc venu d'abandonner nos objectifs limités pour accomplir la volonté de Dieu pour nous.

LES DOUZE ÉTAPES ET LES DOUZE TRADITIONS, P. 73, 79 ET 80

Suis-je entièrement disposé à laisser Dieu éliminer tous mes défauts ? Ai-je enfin appris que je ne peux pas me sauver moi-même ? Je crois que je ne le peux pas. Par conséquent, comme je ne le peux pas, comme j'échoue même avec les meilleures intentions du monde, comme mes désirs sont inspirés par mon égoïsme, comme je n'ai qu'une connaissance et une volonté limitées, je suis prêt à faire la volonté de Dieu dans ma vie.

IL SUFFIT D'ESSAYER

Peut-Il maintenant prendre toutes et chacune [de ces mauvaises choses en nous] ?

LES ALCOOLIQUES ANONYMES, P. 85

À la Sixième Étape, cela m'aidait de me rappeler que je recherchais un « progrès spirituel ». Certains défauts persisteront peut-être jusqu'à la fin de mes jours, mais la plupart se sont atténués ou envolés. Tout ce que me demande la Sixième Étape, c'est de bien vouloir dire quels sont mes défauts, de les reconnaître comme miens et de rejeter ceux que je peux, aujourd'hui. Au fur et à mesure de ma croissance dans les AA, beaucoup de ces défauts me deviennent plus insupportables qu'auparavant ; je dois donc répéter la Sixième Étape pour me sentir bien dans ma peau et garder ma sérénité.

L'ESPOIR À LONG TERME

Comme nous naissons presque tous avec une grande abondance de penchants naturels, il n'est pas étonnant que nous les laissions souvent outrepasser largement le rôle qui leur était destiné. Lorsqu'ils nous emportent aveuglément ou que nous décidons d'en exiger plus de satisfactions et de plaisirs qu'il n'est possible ou nécessaire, nous nous éloignons alors du niveau de perfection auquel Dieu nous destine sur cette terre. C'est la mesure de nos défauts, ou, si vous préférez, de nos péchés.

LES DOUZE ÉTAPES ET LES DOUZE TRADITIONS, P. 75

Cette pensée fait naître l'espoir à long terme, et ouvre des perspectives sur la nature de ma maladie et sur le chemin de mon rétablissement. Ce qu'il y a de merveilleux chez les AA, c'est d'avoir la certitude qu'avec l'aide de Dieu, ma vie s'améliorera. L'aventure AA devient richesse, la compréhension devient vérité, les rêves deviennent réalités et aujourd'hui devient toujours.

Quand je marche dans la lumière des AA, mon cœur s'emplit de la présence de Dieu.

S'OUVRIR AU CHANGEMENT

L'examen personnel est le moyen qui nous permet d'apporter une vision, une action et une grâce nouvelles sur la partie obscure et négative de notre personnalité. C'est une étape vers le développement de cette forme d'humilité qui nous permet de recevoir l'aide de Dieu. ... nous découvrons que nous pouvons abandonner peu à peu notre ancien mode de vie – celui qui ne fonctionnait pas – pour une nouvelle façon de vivre adaptée à n'importe quelle situation.

RÉFLEXIONS DE BILL, P. 10, P. 8

J'ai droit à un sursis quotidien qui dépend de mon progrès spirituel, pourvu que je recherche l'amélioration, non la perfection. Afin d'être prêt au changement, je fais preuve de bonne volonté et d'ouverture devant les possibilités d'amélioration. Lorsque je découvre des défauts qui m'empêchent d'être utile au mouvement et aux autres, je me dispose à changer par la méditation et l'écoute divine. « Certains d'entre nous ont tenté de s'accrocher à leurs vieilles idées, mais le résultat a été nul tant qu'ils ne se sont pas complètement abandonnés. » (Gros Livre, p. 65). Pour lâcher prise et laisser agir Dieu, je n'ai qu'à lui céder mes vieilles habitudes. Je n'ai plus besoin de me battre ou de chercher à dominer la situation ; il me suffit de croire qu'avec son aide je suis changé, et cette simple conviction me rend prêt au changement. Je fais le vide en moi pour laisser place à la prise de conscience, à la lumière et à l'amour, et j'entreprends chaque jour dans l'espoir.

VIVRE ICI, MAINTENANT

Au tout début, nous nous efforçons de vivre le moment présent seulement pour demeurer abstinents, et nous y arrivons. Mais une fois cette mentalité acquise, nous découvrons que cette façon de vivre en tranches de 24 heures est efficace et satisfaisante dans la solution de plusieurs autres problèmes.

VIVRE... SANS ALCOOL !, P. 10 ET 11

« Un jour à la fois ! » Pour le nouveau et la nouvelle, ce slogan AA, comme bien d'autres, peut sembler ridicule. Pourtant ces mots de passe du mouvement peuvent devenir des bouées de sauvetage dans les moments de stress. Chaque journée peut être comme une rose qui s'ouvre selon le plan d'une Puissance supérieure. Mon programme doit prendre racine au bon endroit ; il a besoin d'être soigné, nourri et protégé contre les maladies. Sa culture exige de la patience et je dois accepter que certaines fleurs soient plus belles que d'autres. Chaque stade de l'éclosion peut être source d'émerveillement et de plaisir, si je n'essaie pas d'intervenir, si je ne laisse pas mes attentes l'emporter sur mon acceptation. Voilà la sérénité.

IMPATIENCE ET LÉVITATION

Nous avons réagi à la frustration avec plus d'intensité que les gens normaux.

RÉFLEXIONS DE BILL, P. 111

L'impatience à l'égard des autres est l'une de mes principales difficultés. Suivre une voiture lente ou attendre l'addition au restaurant me fait perdre mon sang-froid. Avant même de laisser à Dieu la chance de me ralentir, j'explose – je suis plus rapide que lui. À force de vivre de telles expériences, j'ai eu une idée. Je me suis dit que si je pouvais observer ces événements du point de vue de Dieu, j'arriverais peut-être à mieux maîtriser mes sentiments et mes comportements. C'est ce que j'ai tenté de faire. Quand je me suis retrouvé à nouveau derrière une voiture lente, j'ai « lévité » et j'ai observé nos deux voitures. J'ai vu un couple âgé qui roulait sans hâte en parlant joyeusement de ses petits-enfants ; et moi, j'étais derrière, rouge de colère, les yeux exorbités, sans horaire particulier à respecter. Je me suis trouvé si ridicule que je suis revenu à la réalité et j'ai ralenti. Il peut être très reposant de voir les choses du point de vue de Dieu.

OBLIGATIONS FAMILIALES

... une vie spirituelle n'incluant pas les obligations familiales n'est peut-être pas si parfaite après tout.

LES ALCOOLIQUES ANONYMES, P. 146

Il se peut que je progresse très bien dans le programme des AA, l'appliquant dans les réunions, au travail et dans les services, mais qu'en même temps ma vie familiale s'effondre. Je m'attends à de la compréhension de la part de mes proches, mais cela leur est impossible. Je m'attends à ce qu'ils constatent et apprécient mes progrès, mais ils ne le font pas – à moins que j'*insiste*. Est-ce que je les néglige quand ils ont besoin de mon attention et demandent que je m'occupe d'eux ? Avec eux, suis-je irritable ou ennuyeux ? Quand je fais amende honorable, est-ce que je me contente de murmurer de vagues excuses ou est-ce que je fais preuve de patience et de tolérance ? Est-ce que je leur fais des sermons en essayant de les changer ou de les « corriger » ? Est-ce que j'ai jamais vraiment fait le ménage par rapport à eux ? « La vie spirituelle n'est pas une théorie. *Nous devons la vivre.* » (Gros Livre, p. 94).

UNE VÉRITABLE ASSOCIATION

Mais ce qui nous a fait le plus souffrir, dans plusieurs cas, ce sont nos relations tordues avec nos proches, nos amis et la société en général. À cet égard, nous avons été particulièrement stupides et entêtés ! Le principal facteur que nous ne savons pas reconnaître est notre incapacité totale à établir une véritable association avec un autre être humain.

LES DOUZE ÉTAPES ET LES DOUZE TRADITIONS, P. 61–62

Se peut-il que ces mots s'appliquent à moi ? Suis-je *toujours* incapable de former une véritable association avec un autre être humain ? Quel handicap lourd à porter dans ma vie sans alcool ! Je vais méditer et prier pour apprendre de quelle manière je peux devenir une personne de confiance dans mes amitiés et dans mes relations personnelles.

DES EXCUSES CONCRÈTES

À force de vivre pendant des années avec un alcoolique, une femme ou un enfant devient presque inévitablement névrosé. Jusqu'à un certain point, la famille entière est malade.

LES ALCOOLIQUES ANONYMES, P. 138-139

Il est important que je me rende compte que, en tant qu'alcoolique, je ne me suis pas seulement fait du mal mais que j'ai aussi blessé mes proches. Il est important que je m'excuse auprès de ma famille, comme ce sera toujours important pour les alcooliques qui souffrent encore de le faire eux aussi. Je dois consacrer le reste de ma vie à comprendre les dégâts que j'ai causés et à tenter de les réparer. L'exemple de ma sobriété peut être pour d'autres une source d'espoir et de foi en eux-mêmes.

QUAND ÇA DEVIENT DIFFICILE

Ce mode de vie donne des résultats dans les moments difficiles.

LES ALCOOLIQUES ANONYMES, P. 17

À mes débuts dans les AA je me suis rendu compte que le mouvement était merveilleux pour m'aider à demeurer abstinent. Mais ce mode de vie pouvait-il nous aider à résoudre les vrais problèmes de la vie, à part celui de l'alcool ? J'en doutais. Après plus de deux ans d'abstinence, j'ai eu ma réponse. J'ai perdu mon emploi, j'ai eu des problèmes de santé, mon père diabétique a perdu une jambe et la personne que j'aimais m'a préféré une autre personne ; tout cela en l'espace de deux semaines. Ma vie s'effondrait mais le mouvement des AA était toujours là pour me soutenir, me réconforter, me donner du courage. Les principes appris à mes débuts dans les AA sont devenus le pilier de ma vie ; non seulement ai-je réussi à passer au travers de mes problèmes, mais je n'ai pas cessé d'aider les nouveaux. Les AA m'ont appris à ne pas me laisser abattre, mais plutôt à accepter et à comprendre ma vie au fil des événements.

MA PUISSANCE SUPÉRIEURE

Si tu veux, tu peux faire du mouvement ta « puissance supérieure ». Voici en effet un rassemblement de très nombreuses personnes qui ont surmonté leur problème d'alcool. ... plus d'un membre... a ainsi franchi le seuil... leur foi a grandi et s'est approfondie... ils en sont venus à croire en une Puissance supérieure...

LES DOUZE ÉTAPES ET LES DOUZE TRADITIONS, P. 31-32

Quand je buvais, il n'y avait personne de plus grand que moi, du moins à mes yeux. Pourtant, je ne pouvais pas me sourire dans un miroir. Puis, je suis venu chez les AA et, comme d'autres, j'ai entendu parler d'une Puissance supérieure. Parce que je croyais que Dieu était cruel et froid, je ne pouvais accepter cette idée d'une Puissance supérieure. En désespoir de cause, j'ai choisi comme « puissance supérieure » une table, puis un arbre, puis mon groupe des AA. Avec le temps, ma vie s'est améliorée et j'ai commencé à m'interroger sur cette Puissance supérieure. Peu à peu, avec patience et humilité, et aussi beaucoup de questions, j'en suis venu à croire en Dieu. Aujourd'hui, ma relation avec ma Puissance supérieure me donne la force de vivre une vie sobre et heureuse.

OUVERTURE D'ESPRIT

Nous nous sommes rendu compte que Dieu ne se montre pas trop exigeant envers ceux qui Le cherchent. Pour nous, le Royaume de l'Esprit est large et vaste ; il englobe tout ; jamais il n'exclut, jamais il ne se ferme à ceux qui le cherchent avec ardeur. Il est ouvert, nous le croyons, à tous les hommes.

RÉFLEXIONS DE BILL, P. 7

Avoir l'esprit ouvert à l'idée d'une Puissance supérieure peut m'ouvrir la porte du « royaume de l'esprit ». Je retrouve souvent l'esprit humain dans les divers dogmes et confessions religieuses. Je peux pratiquer la spiritualité en faisant part de ma vie à d'autres. De cette manière je réintègre la race humaine et me rapproche de Dieu, tel que je le conçois.

« TOUT AU FOND DE NOTRE ÂME »

Nous avons découvert la Grande Réalité tout au fond de nous. En dernière analyse, c'est seulement là qu'on peut Le trouver... à chercher vaillamment en vous... Si vous êtes ainsi disposé, vous ne pouvez pas échouer. Vous prendrez nécessairement conscience de votre foi.

LES ALCOOLIQUES ANONYMES, P. 62-63

C'est du plus profond de ma solitude, de ma dépression et de mon désespoir que j'ai cherché l'aide des AA. En devenant abstinent et en considérant le vide et la ruine de ma vie, j'ai commencé à m'ouvrir aux possibilités de guérison grâce au programme de rétablissement des AA. En assistant aux réunions, en demeurant abstinent et en faisant mes Étapes, j'ai pu me mettre, avec de plus en plus d'attention, à l'écoute du plus profond de mon âme. Chaque jour j'attendais, plein d'espoir et de gratitude, la foi confiante et l'amour inébranlable que j'avais désirés dans ma vie. C'est ainsi que j'ai rencontré Dieu, tel que je le conçois.

S'ASSOCIER POUR ÊTRE LIBRE

... si on accordait simplement aux humains une liberté absolue, sans les forcer à obéir à qui que ce soit, ils s'associeraient volontairement pour la cause commune.

RÉFLEXIONS DE BILL, P. 50

Quand je ne me laisse plus dicter des ordres par une autre personne ou par l'alcool, je vis une nouvelle liberté. Quand je cesse de traîner mon passé et tout l'excédent de bagage que j'ai transporté si longtemps, je connais la liberté. On m'a présenté un mode de vie et un mouvement de liberté. Les Étapes sont une méthode « suggérée » pour recommencer une nouvelle vie ; il n'y a pas d'ordres ou d'obligations chez les AA. Je suis libre de servir parce que je le désire et non parce qu'on l'exige. Il va de soi que je vais bénéficier de la croissance des autres membres et que je vais redonner au groupe ce que j'apprends. Le « bien commun » peut croître dans une société de liberté individuelle.

UNE RÉGÉNÉRATION

Tel est le paradoxe de la régénération chez les AA : une force qui naît de la défaite et de la faiblesse totale, la perte d'une ancienne vie comme condition pour en trouver une nouvelle..

LE MOUVEMENT DES AA DEVIENT ADULTE, P. 47

Des milliers de coups portés par l'alcool ne m'encourageaient guère à admettre ma défaite. Je croyais avoir l'obligation morale de vaincre cette ancienne « maîtresse » devenue mon ennemie. À ma première réunion AA, j'ai reçu la grâce de *sentir* qu'il était normal d'admettre mon impuissance devant une maladie qui n'avait rien à voir avec ma « force morale ». J'ai su d'instinct que je me trouvais en présence d'un grand amour quand j'ai franchi la porte des AA. Je n'ai pas eu d'efforts à faire pour prendre conscience qu'il était juste et bon de m'aimer moi-même, selon la volonté de Dieu. Mes sentiments m'ont libéré alors que mes pensées m'avaient tenu en esclavage, et j'en suis reconnaissant.

SE LIBÉRER DE LA PEUR

Il y a deux solutions au problème de la peur. Nous devons d'abord essayer de nous en libérer autant que possible. Puis, nous devons trouver le courage et la grâce de faire face de façon positive aux peurs non dissipées.

RÉFLEXIONS DE BILL, P. 61

La plupart de mes décisions étaient motivées par la peur. L'alcool me permettait d'affronter la vie, mais à un moment donné, il cessa de pallier la peur. L'un des grands cadeaux que j'ai reçus des AA a été le courage d'agir, avec l'aide de Dieu. Après cinq ans d'abstinence, j'ai dû faire face à une forte dose de peur, mais Dieu a mis sur ma route des gens qui pouvaient m'aider. Grâce à la pratique des Douze Étapes, je suis en train de devenir la personne complète que je souhaite être, et de cela, je suis reconnaissant.

LA PEUR ET LA FOI

Se libérer de la peur est l'entreprise de toute une vie et nous n'arriverons jamais à l'abolir complètement. Lorsque nous sommes gravement éprouvés par une maladie grave, ou en proie à une grande insécurité, nous réagissons tous plus ou moins bien à ce trouble émotif, selon le cas. Seuls les prétentieux proclameront qu'ils sont totalement libérés de la peur.

RÉFLEXIONS DE BILL, P. 263

La peur m'a fait souffrir parce que je manquais de foi. À certains moments, la peur me déchire tout à coup au beau milieu d'un moment de joie, de bonheur ou de gaieté. La foi, ainsi que le sentiment de ma valeur face à ma Puissance supérieure, m'aident à accepter les tragédies et les grandes joies. Le jour où j'abandonnerai toutes mes peurs à ma Puissance supérieure, je serai libre.

AUJOURD'HUI, JE SUIS LIBRE

Cette découverte m'a amené à prendre conscience, pour mon plus grand bien, qu'il y avait dans le monde un grand nombre de situations sur lesquelles je n'avais personnellement aucun pouvoir – si j'étais prêt à admettre cela au sujet de l'alcool, je devais faire de même pour bien d'autres choses. Je devais rester calme, sachant que Dieu c'est Lui, pas moi.

RÉFLEXIONS DE BILL, P. 114

J'apprends à faire preuve d'acceptation dans toutes les circonstances de ma vie afin d'avoir l'esprit en paix. À une certaine époque, la vie était une bagarre continuelle parce que je me croyais obligé de passer mes journées à me battre contre moi-même et contre tout le monde. Quand ces batailles se sont révélées perdues d'avance, je me suis mis à me soûler et à pleurer sur mes malheurs. Lorsque j'ai commencé à lâcher prise et à laisser Dieu prendre charge de ma vie, j'ai pu trouver la paix d'esprit. Aujourd'hui je suis libre. Je n'ai plus à me battre contre qui que ce soit ou quoi que ce soit.

FAIRE CONFIANCE AUX AUTRES

Par contre, la confiance requiert-elle que nous soyons aveugles sur les motifs des autres ou même sur les nôtres ? Pas du tout ! Ce serait de la folie. Chez toute personne digne de notre confiance, nous devrions très certainement évaluer son aptitude autant à faire le mal qu'à faire le bien. Cet examen discret peut nous révéler le degré de confiance que nous devrions accorder selon les situations.

RÉFLEXIONS DE BILL, P. 144

Je ne suis pas victime des autres mais plutôt de mes propres attentes, de mes choix, de mon manque d'honnêteté. Quand j'attends des autres qu'ils soient ce que je désire plutôt que ce qu'ils sont, quand ils ne répondent pas à mes attentes, je suis blessé. Quand mes choix sont motivés par l'égocentrisme, je me retrouve seul et méfiant. Par contre, je reprends confiance en moi quand je mets de l'honnêteté dans tout ce que je fais. Quand je m'interroge sur mes motivations, quand je suis honnête et confiant, je repère les situations qui peuvent être nuisibles et je suis en mesure de les éviter.

UNE ÉCOLE DE SPIRITUALITÉ

Nous ne sommes qu'une école maternelle de spiritualité dans laquelle nous aidons les gens à surmonter leur problème d'alcool et à trouver la grâce de continuer à mieux vivre.

RÉFLEXIONS DE BILL, P. 95

Quand je suis arrivé chez les AA, j'étais démoli par l'alcool et je voulais me défaire de l'obsession de boire, mais je ne savais pas vraiment comment m'y prendre. J'ai décidé de rester avec les AA le temps d'apprendre comment avaient fait celles et ceux qui étaient passés par là avant moi. Tout à coup, je me suis surpris en train de penser à Dieu ! On m'avait dit de choisir une Puissance supérieure mais je n'avais aucune idée à quoi cela pouvait ressembler. J'ai découvert qu'il y avait beaucoup de Puissances supérieures ; on m'a dit de rechercher Dieu, tel que je le conçois, qu'il n'y a pas de doctrine de la divinité pour les AA. J'ai trouvé une Puissance qui me convenait et je lui ai demandé de me redonner la raison. J'ai perdu l'obsession de boire, un jour à la fois ; la vie a continué et j'ai appris à vivre sans alcool.

UNE RUE À DEUX SENS

Si nous le Lui demandons, Dieu nous pardonnera sûrement nos manques. Mais en aucun cas Il n'acceptera, sans notre collaboration, de nous rendre blancs comme neige et de nous garder dans cet état.

LES DOUZE ÉTAPES ET LES DOUZE TRADITIONS, P. 75

Dans mes prières, j'avais l'habitude d'omettre beaucoup des choses que j'avais à me faire pardonner. Je croyais que si je ne mentionnais pas ces choses à Dieu, il n'en entendrait jamais parler. Je ne savais pas qu'il suffisait que je me pardonne à moi-même certaines de mes actions passées pour que Dieu me les pardonne aussi. On m'avait toujours enseigné à me préparer pour mon voyage sur la terre ; ce n'est que chez les AA, quand je me suis montré honnêtement disposé à apprendre à pardonner et à me faire pardonner, que j'ai compris que le voyage, c'est la vie elle-même. Le voyage de la vie est une très belle aventure, tant que je suis prêt à changer et à être responsable.

UN DON QUI CROÎT AVEC LE TEMPS

Pour la plupart des gens normaux, boire est synonyme de convivialité, de camaraderie et de rêves heureux et colorés. Prendre un verre libère de l'ennui et des tracas. C'est l'intimité joyeuse avec des amis et la sensation que la vie est belle.

LES ALCOOLIQUES ANONYMES, P. 170

Plus je pourchassais de telles sensations dans l'alcool, plus elles devenaient inaccessibles. Pourtant, en appliquant ce passage à ma vie sans alcool, je m'aperçois qu'il décrit cette merveilleuse vie nouvelle que met à ma portée le mouvement des AA. Les choses s'améliorent vraiment, un jour à la fois. La chaleur, l'amour et la joie qu'exprime si simplement ce passage prennent de l'ampleur et de la profondeur à chaque nouvelle lecture. La sobriété est un don qui croît avec le temps.

SE CONFORMER AU MODE DE VIE AA

Nous obéissions aux Étapes et aux Traditions des AA parce que nous voulons vraiment les adopter pour nous-mêmes. Ce n'est plus une question de bien ou de mal ; nous nous y conformons parce que nous le voulons sincèrement. Tel est notre processus de croissance dans l'unité et dans le fonctionnement. Telle est l'évidence de la grâce et de l'amour de Dieu parmi nous..

LE MOUVEMENT DES AA DEVIENT ADULTE, P. 109

Je prends plaisir à me voir grandir dans le mouvement. Je me suis battu au début pour ne pas me conformer aux principes des AA ; mais à force de souffrir de mon attitude belliqueuse, j'ai fini par voir qu'en vivant selon le mode de vie des AA, je m'ouvrais à la grâce et à l'amour de Dieu. J'ai commencé à comprendre pleinement ce que signifie être membre des Alcooliques anonymes.

LA DÉTERMINATION DE NOS FONDATEURS

Au bout d'un an et six mois, les trois pionniers avaient réussi à recruter sept nouveaux membres.

LES ALCOOLIQUES ANONYMES, P. 180

Sans la détermination et l'acharnement de nos fondateurs, le mouvement des AA aurait rapidement disparu, comme tant d'autres prétendues bonnes causes. Dans la ville où je vis, il se tient des centaines de réunions chaque semaine, et je sais que les AA sont disponibles vingt-quatre heures sur vingt-quatre. Si j'avais eu à attendre, avec rien d'autre que l'espoir et le désir de ne pas boire, me sentant rejeté partout, j'aurais recherché la méthode plus facile, plus douce, et je serais retourné à mon ancienne façon de vivre.

UN EFFET DE VAGUE

Ayant trouvé la recette du parfait bonheur, nous la partagerions avec tous... Oui, chez les AA, nous avions rêvé de tout cela. Quoi de plus naturel, en somme, puisque la plupart des alcooliques sont des idéalistes déçus !... Alors, pourquoi ne pas partager notre mode de vie avec tout le monde ?

LES DOUZE ÉTAPES ET LES DOUZE TRADITIONS, P. 178-179

La grande découverte de la sobriété me poussait à répandre la « bonne nouvelle » dans mon milieu. C'était le retour des idées grandioses de ma vie de buveur. Par la suite, je me suis rendu compte que ma seule sobriété était un travail à temps plein. En devenant un citoyen abstinent, j'ai pu constater que l'effet de vague, sans aucun effort de ma part, atteignait « d'autres organismes, qu'ils soient apparentés ou étrangers », sans m'écarter de mon but fondamental qui est de demeurer abstinent et d'aider d'autres alcooliques à le devenir.

SACRIFICE = UNITÉ = SURVIE

L'unité, l'efficacité et même la survie des AA dépendront toujours de notre volonté constante de renoncer à nos ambitions et à nos désirs personnels pour assurer la sauvegarde et le bien-être communs. Si le sacrifice assure la survie individuelle de l'alcoolique, il garantit tout autant l'unité et la survie du groupe et de toute l'association des AA.

RÉFLEXIONS DE BILL, P. 220

J'ai appris que je devais sacrifier certains traits de ma personnalité pour le bien des AA, et ce renoncement m'a valu bien des récompenses. La vanité peut être amplifiée par le prestige, mais grâce à la Sixième Tradition je reçois à la place le don de l'humilité. Collaborer sans s'affilier se révèle souvent décevant. Si je ne me lie pas à des intérêts extérieurs, je demeure libre de maintenir le mouvement AA autonome. Il pourra ainsi survivre, fort et en santé, pour les générations futures.

DE NOTRE MIEUX, AUJOURD'HUI

Les principes que nous avons énoncés sont des guides vers la croissance.

LES ALCOOLIQUES ANONYMES, P. 67

Comme un sculpteur se sert de différents outils pour obtenir les effets désirés dans une œuvre d'art, moi, je me sers des Douze Étapes des Alcooliques anonymes pour obtenir des résultats dans ma vie. Je ne me laisse pas submerger par les problèmes de la vie, ni par la quantité de travail à faire. Je me réconforte à l'idée que ma vie est maintenant entre les mains de ma Puissance supérieure, ce maître artisan qui en façonne chaque partie pour créer une œuvre d'art unique. En mettant en pratique le programme des AA, je trouverai la satisfaction car je sais que, « en faisant de notre mieux, aujourd'hui, nous ne faisons que la volonté de Dieu ».

LE CŒUR DE LA VRAIE SOBRIÉTÉ

À notre avis, l'aspect spirituel de notre programme ne devrait poser de difficulté à personne. La bonne volonté, l'honnêteté et l'ouverture d'esprit sont les éléments nécessaires pour le rétablissement. Ils sont même indispensables.

LES ALCOOLIQUES ANONYMES, P. 634

Suis-je suffisamment honnête pour m'accepter et me montrer aux autres tel que je suis ? Suis-je prêt à faire absolument tout ce qui est nécessaire pour demeurer abstinent ? Ai-je assez d'ouverture d'esprit pour entendre ce que je dois entendre, pour penser ce que je dois penser, pour ressentir ce que je dois ressentir ?

Si je réponds « oui » à ces questions, j'en sais assez sur l'aspect spirituel du programme pour demeurer abstinent. En continuant de mettre en pratique les Douze Étapes, j'arrive au cœur de la vraie sobriété : la sérénité face à moi-même, aux autres et à Dieu tel que je le conçois.

L'EXPÉRIENCE EST LE MEILLEUR PROFESSEUR

Comme nous manquons d'expérience et que nous venons d'établir un premier contact conscient avec Dieu, nous ne serons probablement pas inspirés chaque fois.

LES ALCOOLIQUES ANONYMES, P. 98

Certains disent que l'expérience est le meilleur professeur ; moi, je crois qu'elle est le *seul* professeur. J'ai découvert l'amour de Dieu à mon égard seulement après avoir fait l'expérience de ma dépendance de cet amour. Au départ, je ne savais pas très bien de quel côté il orientait ma vie, mais maintenant je sais que si j'ai l'audace de lui demander de me guider, je dois agir comme s'il me guidait vraiment. Je demande souvent à Dieu de m'aider à me rappeler qu'il a tracé une voie pour moi.

UNE FOI NATURELLE

... au plus profond de chaque être humain, homme, femme ou enfant, repose l'idée fondamentale de Dieu. Elle peut être masquée par le malheur, la vanité, le culte d'autres valeurs, mais elle est là, sous une forme ou sous une autre. La foi en une Puissance supérieure à nous-mêmes et les manifestations miraculeuses de cette force dans la vie d'êtres humains sont des faits aussi anciens que l'homme lui-même.

LES ALCOOLIQUES ANONYMES, P. 62

J'ai vu un Dieu invisible à l'œuvre dans les réunions des AA d'un bout à l'autre du pays. Le miracle du rétablissement est manifeste partout. Maintenant, je crois que Dieu est présent dans les salles de réunion et dans mon cœur. Aujourd'hui, il est aussi naturel pour moi, ancien agnostique, de croire que de respirer, de manger et de dormir. Les Douze Étapes m'ont permis de changer ma vie de bien des manières, mais aucune ne vaut le choix d'une Puissance supérieure.

UNE NOUVELLE ORIENTATION

Nos possibilités humaines, dirigées par notre volonté, n'étaient pas suffisantes ; nous avons lamentablement échoué... Chaque jour, le souci de la volonté de Dieu doit être présent dans notre esprit et se manifester dans toute notre conduite.

LES ALCOOLIQUES ANONYMES, P. 51 ET 96

On dit que l'alcoolique n'a « pas de volonté ». Pourtant, je suis l'une des personnes les plus entêtées du monde ! Je sais maintenant que mon incroyable obstination ne peut me sauver la vie. Mon problème n'en est pas un de faiblesse de volonté mais d'orientation. Quand j'arrive, sans fausse modestie, à accepter mes limites réelles et à demander à Dieu de me guider, mes pires défauts deviennent mes plus grands atouts. Mon obstination, lorsqu'elle est bien orientée, me permet de persévérer jusqu'à ce que les promesses du programme deviennent pour moi une réalité quotidienne.

RECONNAÎTRE LA PEUR...

Nos défauts ont été principalement alimentés par la peur égoïste...

LES DOUZE ÉTAPES ET LES DOUZE TRADITIONS, P. 88

Quand je me sens troublé, irrité ou déprimé, je cherche où se cache la peur. Cette « veine néfaste et corrosive » est la source de ma détresse. Il y a la peur de l'échec, la peur de ce que pensent les autres, la peur d'être blessé et tant d'autres peurs. J'ai découvert une Puissance supérieure qui ne veut pas que je vive dans la peur ; par conséquent, ma vie chez les AA est une vie de liberté et de joie. Je ne désire plus vivre avec la multitude de défauts qui me caractérisaient quand je buvais. La Septième Étape me permet de me libérer de ces défauts. Je demande à Dieu de m'aider à reconnaître la peur sous chaque défaut et à m'en délivrer. Cette méthode, qui réussit toujours, est un des grands miracles de ma vie chez les Alcooliques anonymes.

... ET S'EN LIBÉRER

... en particulier la peur qui nous faisait craindre de perdre un bien déjà acquis ou celle de ne pas obtenir ce que nous demandions. À toujours exiger sans jamais obtenir satisfaction, nous étions constamment perturbés et frustrés. Nous ne pouvions donc connaître la paix à moins de trouver le moyen de réduire nos exigences. Chacun connaît bien la différence entre une exigence et une simple attente.

LES DOUZE ÉTAPES ET LES DOUZE TRADITIONS, P. 88

Je ne peux connaître la paix que si je renonce à mes attentes. Quand je me mets à rêver à ce que je désire et à ce qui devrait arriver, je vis dans la peur ou dans une attente anxieuse qui ne contribue pas à ma sobriété émotive. Je dois capituler, encore et encore, devant la réalité de ma dépendance vis-à-vis de Dieu. Alors seulement, puis-je trouver la paix, la gratitude et la sécurité spirituelle.

UNE LIBERTÉ CROISSANTE

C'est par la Septième Étape que nous changeons d'attitude, ce qui nous permet, guidés par l'humilité, de sortir de nous-mêmes pour aller vers les autres et vers Dieu.

LES DOUZE ÉTAPES ET LES DOUZE TRADITIONS, P. 88

Quand j'ai enfin demandé à Dieu de me débarrasser de ce qui me coupait de lui et de la lumière de l'Esprit, j'ai entrepris un voyage plus merveilleux que tout ce que j'avais imaginé. J'ai été libéré de ces traits de caractère qui m'enfermaient en moi-même. Grâce à cette Étape d'humilité, je me sens propre.

Je suis particulièrement conscient de cette Étape parce que je peux maintenant être utile à Dieu et à mes frères et sœurs. Je sais que Dieu me donne la force d'accomplir sa volonté et me rend prêt à accueillir toute personne et toute chose qui se trouvera sur ma route aujourd'hui. Je m'en remets vraiment à lui et je le remercie pour la joie d'être utile aujourd'hui.

JE SUIS UN INSTRUMENT

Nous Lui avons humblement demandé de faire disparaître nos défauts.

LES DOUZE ÉTAPES ET LES DOUZE TRADITIONS, P. 81

L'humilité est un sujet difficile. Être humble, ce n'est pas me diminuer plus que je ne le dois ; c'est admettre que je fais certaines choses bien, c'est savoir accepter de bonne grâce un compliment.

Dieu ne peut faire *pour* moi que ce qu'il peut faire *par* moi. Je suis humble quand je reconnais que c'est Dieu qui agit, pas moi. En sachant cela, comment pourrais-je m'enorgueillir de mes réussites ? Je ne suis qu'un instrument, et tout ce que je semble accomplir est fait par Dieu à travers moi. Chaque jour, je demande à Dieu de faire disparaître mes défauts afin que je puisse librement m'occuper d'aimer et de servir dans les AA.

VERS LA PAIX ET LA SÉRÉNITÉ

Puis, une fois que nous avons accepté de regarder bien en face certains de nos défauts, que nous en avons parlé avec une autre personne et que nous étions prêts à ce qu'ils soient éliminés, notre perception de l'humilité commence à s'élargir.

LES DOUZE ÉTAPES ET LES DOUZE TRADITIONS, P. 86

Quand survient une situation qui détruit ma sérénité, la souffrance me pousse souvent à demander à Dieu de me faire savoir quel rôle j'ai joué dans cette situation. J'admets mon impuissance et je lui demande humblement de m'aider à accepter. Je cherche à voir comment mes défauts ont contribué à créer cette situation. Aurais-je pu être plus patient ? Ai-je été intolérant ? Ai-je cherché à tout prix à faire à ma tête ? Ai-je eu peur ? Après avoir découvert ces défauts, je mets de côté ma confiance en moi et je demande humblement à Dieu de me débarrasser de mes faiblesses. La situation ne changera peut-être pas, mais l'exercice de l'humilité me rendra la paix et la sérénité qui viennent naturellement quand je m'en remets à une Puissance supérieure.

UN TOURNANT

Il s'est produit un tournant important dans notre vie quand l'humilité est devenue une valeur recherchée plutôt qu'une obligation.

LES DOUZE ÉTAPES ET LES DOUZE TRADITIONS, P. 87

Ou bien le mode de vie des AA devient une source de joie, ou bien je retourne au monde sombre et désespéré de l'alcoolisme. La joie surgit quand je considère Dieu et l'humilité comme des choses désirables plutôt que comme un fardeau. Ma vie sombre s'illumine quand je prends conscience que la franchise et l'honnêteté de mon inventaire personnel rempliront mes jours de sérénité, de liberté et de joie. Ma confiance en ma Puissance supérieure s'accentue et l'éclat de la gratitude m'irradie. J'ai la conviction qu'être humble, c'est être franc et honnête avec moi-même et avec ma Puissance supérieure. L'humilité devient alors « une valeur recherchée plutôt qu'une obligation ».

LAISSER LE DEVANT DE LA SCÈNE

Car aucun alcoolique ne peut demeurer sobre sans un certain degré d'humilité ... Sans l'humilité, leur vie serait peu utile et, dans l'adversité, ils ne pourraient compter sur les ressources de la foi qu'exigent les situations critiques.

LES DOUZE ÉTAPES ET LES DOUZE TRADITIONS, P. 81

Pourquoi le mot « humilité » me fait-il hésiter ? Ce n'est pas devant les autres que je m'humilie mais devant Dieu. Être humble, c'est « montrer un respect fait de soumission » et en étant humble, je me rends compte que je ne suis pas le centre de l'univers. Quand je buvais, j'étais dévoré par l'orgueil et l'égocentrisme. Je me croyais le nombril du monde, le maître de ma destinée. L'humilité me permet de dépendre davantage de l'aide de Dieu pour surmonter les obstacles, pour corriger mes propres imperfections et pour grandir spirituellement. Avec l'aide de Dieu, je dois m'habituer à résoudre des problèmes plus difficiles et apprendre à surmonter les pierres d'achoppement dans ma vie. La communion quotidienne avec Dieu est une manifestation de mon humilité et me fait prendre conscience qu'un être plus puissant que moi est prêt à m'aider, si je cesse de vouloir me prendre pour Dieu.

L'HUMILITÉ EST UN DON

Tant que notre autosuffisance occupait la première place, il était hors de question d'avoir une véritable confiance en une Puissance supérieure. Il manquait cet élément de base de toute humilité, ce désir de chercher la volonté de Dieu et de l'accomplir.

LES DOUZE ÉTAPES ET LES DOUZE TRADITIONS, P. 84

À mon arrivée chez les AA, je voulais acquérir un peu de cette qualité insaisissable que l'on appelle l'humilité. Je ne me rendais pas compte que je désirais l'humilité parce que je croyais qu'elle allait m'apporter ce que je voulais ; j'étals prêt à faire n'importe quoi pour les autres tant que je croyais que Dieu allait, d'une certaine manière, me récompenser. Maintenant, j'essaie de me souvenir que les gens que je rencontre, au fil de ma journée, sont aussi près de Dieu que je ne le serai jamais sur cette terre. Je dois prier pour connaître la volonté de Dieu et voir comment mon vécu de souffrance et d'espoir peut aider d'autres personnes. Si j'y arrive, je n'aurai pas besoin de chercher l'humilité, elle m'aura trouvé.

UN ALIMENT NOURRISSANT

Alors qu'auparavant, l'humilité était forcée, elle devient maintenant l'ingrédient nutritif qui peut nous apporter la sérénité.

LES DOUZE ÉTAPES ET LES DOUZE TRADITIONS, P. 86

Combien de fois me suis-je concentré sur *mes* problèmes et sur *mes* frustrations ? Quand je connais une « bonne journée », ces mêmes problèmes perdent de l'importance et me préoccupent beaucoup moins. Ne serait-il pas préférable alors de trouver la « formule magique » qui me donne ces « bonnes journées » pour pouvoir l'appliquer aux malheurs de mes mauvaises journées ?

Mais la solution, je l'ai déjà ! Plutôt que de chercher à fuir ma souffrance et de souhaiter que mes problèmes disparaissent, je peux demander l'humilité ! L'humilité saura guérir ma douleur. L'humilité saura m'empêcher de me concentrer sur moi. L'humilité est une force qui m'est donnée par une Puissance supérieure, je n'ai qu'à la demander ! L'humilité remettra de l'équilibre dans ma vie. Elle me permettra d'accepter joyeusement de n'être qu'un être humain.

L'ORGUEIL

Depuis des milliers d'années nous n'avons pas cessé de réclamer plus que notre part de sécurité, de prestige et d'affection. Quand il semblait que nous arrivions à nos fins, nous retournions vers l'alcool pour y rêver d'autres rêves encore plus grands. Lorsque nous étions frustrés, ne fût-ce que légèrement, nous buvions encore afin d'oublier. Nos désirs n'étaient jamais assouvis.

Dans toutes ces efforts, le plus souvent bien intentionnées, ce qui nous faisait le plus défaut était notre manque d'humilité. Il nous manquait le recul nécessaire pour accorder la priorité à la formation de notre caractère et aux valeurs spirituelles, et pour reconnaître que les satisfactions matérielles ne sont pas le but de la vie.

LES DOUZE ÉTAPES ET LES DOUZE TRADITIONS, P. 82-83

Bien des fois je me suis attaqué à la Septième Étape, mais chaque fois, je devais reculer et me reprendre ! Il me manquait quelque chose et l'importance de cette Étape m'échappait. Qu'est-ce que j'avais omis ? Un seul mot, que je lisais sans y prêter attention, le fondement de toutes nos Étapes et même du programme AA tout entier, le mot « humblement ».

Je connaissais bien mes défauts. Je remettais constamment les tâches à plus tard, je me mettais facilement en colère et je m'apitoyais trop sur mon sort en me demandant pourquoi tout cela m'arrivait, à moi. Puis je me suis rappelé le proverbe « Péché d'orgueil ne va pas sans danger » et j'ai éliminé l'orgueil de ma vie.

« UNE BONNE MESURE DE L'HUMILITÉ »

Dans chaque cas, la souffrance était le prix à payer pour entrer dans une vie nouvelle. Ce prix d'admission nous a procuré plus que nous attendions. Il nous a apporté une dose d'humilité et bientôt, nous avons découvert qu'elle soulageait la souffrance.

LES DOUZE ÉTAPES ET LES DOUZE TRADITIONS, P. 86-87

J'ai souffert de ne pas pouvoir maîtriser ma vie, même si la réussite m'échappait, et quand la vie est devenue trop difficile, j'ai bu pour fuir. J'apprends à accepter la vie comme elle est grâce à l'humilité que je ressens quand je confie ma vie et ma volonté aux soins de Dieu, tel que je le conçois. Quand ma vie est entre les mains de Dieu, je ne réagis plus avec peur, incertitude et colère aux épisodes que je préférerais ne pas avoir à vivre. La souffrance de ces moments est apaisée parce que je sais que la force spirituelle de survivre m'a été donnée.

CAPITULATION ET EXAMEN DE CONSCIENCE

Ce qui m'a stabilisé, c'est de chercher à donner, non à recevoir.

À mon avis, c'est comme ça que fonctionne la sobriété émotive. Quand nous examinons toutes les choses qui nous dérangent, les grandes comme les petites, nous trouvons toujours à la racine une dépendance malsaine et les exigences tout aussi malsaines qui en découlent. Puissions-nous toujours, avec l'aide de Dieu, renoncer à ces exigences qui nous entravent. Nous pourrons ainsi vivre et aimer librement. Nous pourrons peut-être également transmettre, à nous-mêmes et à d'autres, le message de la sobriété émotive.

LE LANGAGE DU CŒUR, P. 250-251

Pendant des années, l'alcool a été la substance chimique qui modifiait mon état d'esprit et cette dépendance m'a rendu incapable d'interactions affectives avec les autres. Je me croyais tenu de ne compter que sur moi, d'être autosuffisant et très motivé dans un monde où l'on ne peut se fier à personne. Mais j'ai fini par perdre le respect de moi-même et me suis retrouvé totalement dépendant, incapable d'avoir confiance en moi ou de croire en quoi que ce soit. J'ai dû capituler et faire un examen de conscience, tout en échangeant avec des nouveaux, afin de pouvoir humblement demander de l'aide.

RECONNAISSANT DE CE QUE J'AI

Pendant cet apprentissage de l'humilité, le résultat le plus marquant a été notre changement d'attitude envers Dieu.

LES DOUZE ÉTAPES ET LES DOUZE TRADITIONS, P. 87

Aujourd'hui, mes prières consistent surtout à remercier ma Puissance supérieure pour ma sobriété et pour toutes les merveilles de ses dons. Pourtant, je dois également lui demander de l'aide et la force d'accomplir sa volonté à mon égard. Je n'ai plus besoin de lui demander à tout moment de me sortir des pétrins dans lesquels je me mets en omettant de faire sa volonté. Aujourd'hui, ma gratitude semble directement reliée à mon humilité. Tant que j'aurai l'humilité d'être reconnaissant de ce que j'ai, Dieu subviendra à mes besoins.

L'AMOUR-PROPRE

Plusieurs d'entre nous qui se croyions religieux ont pris conscience de leurs limites. En refusant de donner la première place à Dieu, nous nous sommes privés de Son aide.

LES DOUZE ÉTAPES ET LES DOUZE TRADITIONS, P. 87

L'amour-propre résulte de beaucoup d'idées fausses. L'espoir trouvé dans le mouvement des AA comble notre besoin d'être guidés afin de mener une vie décente. Celles et ceux qui mettent le programme en pratique depuis des années – un jour à la fois – sont d'avis qu'une vie centrée sur Dieu offre des possibilités illimitées de croissance personnelle. C'est pourquoi nos aînés nous trans-mettent beaucoup d'espoir.

Je remercie ma Puissance supérieure de m'avoir appris qu'elle œuvre à travers les autres. Je la remercie pour nos serviteurs de confiance qui aident les nouveaux à rejeter les faux idéaux et à adopter ceux qui mènent à une vie de compassion et de confiance. Nos aînés dans le mouvement incitent les nouveaux à « revenir », pour qu'ils puissent « en venir à croire ». Je demande à ma Puissance supérieure de m'aider à vaincre mon manque de foi.

LA DISPARITION DE MES DÉFAUTS

Mais la phrase suivante : « De moi-même, je ne suis rien, c'est le Père qui agit en moi » a commencé à porter ses promesses merveilleuses et a pris tout son sens.

LES DOUZE ÉTAPES ET LES DOUZE TRADITIONS, P. 87

Quand je mets en pratique la Septième Étape, je dois me rappeler qu'il n'y manque aucun mot. Elle ne dit pas : « Nous Lui avons humblement demandé de (...) faire disparaître nos déficiences. » Pendant des années, j'ai rempli cet espace vide imaginaire par des expressions telles que « m'aider à », « me donner le courage de », « me donner la force de », etc. La Septième Étape dit simplement que Dieu fera disparaître mes défauts. Tout ce que j'ai à faire, c'est de le « demander humblement » ; pour moi, cela signifie que « de moi-même, je ne suis rien, c'est le Père qui agit en moi ».

UN PRÉSENT INESTIMABLE

En toute probabilité, à ce stade, nous avons été quelque peu libéré de nos défauts les plus graves. Nous avons connu des moments qui ressemblaient à la vraie paix d'esprit. Pour ceux d'entre nous qui n'avaient jusqu'à maintenant connu que l'excitation, la dépression et l'angoisse – en d'autres mots, pour nous tous – cette paix nouvelle est un cadeau sans prix.

LES DOUZE ÉTAPES ET LES DOUZE TRADITIONS, P. 86

J'apprends à lâcher prise et à laisser agir Dieu, à avoir l'esprit ouvert et le cœur disposé à recevoir la grâce de Dieu dans tout ce que je fais. De cette façon, j'éprouve la paix et la liberté qui résultent de la capitulation. Il a été démontré que la capitulation, née de la défaite et du désespoir, peut devenir un acte de foi permanent et que la foi est synonyme de liberté et de victoire.

LE BON ET LE MAUVAIS

Mon Créateur, je suis maintenant disposé à ce que Vous preniez tout ce que je suis, bon ou mauvais.

LES ALCOOLIQUES ANONYMES, P. 85

La joie de vivre réside dans le don. Étant libéré de mes faiblesses, je peux plus librement servir, et l'humilité peut grandir en moi. Je peux humblement confier mes faiblesses à un Dieu aimant et il les fera disparaître. La Septième Étape se fonde sur l'humilité, et quel meilleur moyen de rechercher l'humilité que de confier tout mon être à Dieu, le bon et le mauvais, pour qu'il puisse faire disparaître ce qui est mauvais et me redonner ce qui est bon ?

C'EST À DIEU DE DÉCIDER

Je Vous demande d'ôter de moi chacun des défauts qui m'empêchent de Vous être utile, à Vous et à mes semblables.

LES ALCOOLIQUES ANONYMES, P. 85-86

Ayant admis mon impuissance et décidé de confier ma volonté et ma vie aux soins de Dieu, tel que je le conçois, ce n'est plus moi qui décide quels défauts doivent disparaître, dans quel ordre et à quel moment. Je demande à Dieu de décider quels défauts m'empêchent d'être utile, à lui et aux autres, puis je lui demande humblement de les faire disparaître.

AIDER LES AUTRES

Notre vie même, parce que nous sommes des ex-buveurs, dépend de notre souci constant des autres et de la façon dont nous pouvons leur venir en aide.

LES ALCOOLIQUES ANONYMES, P. 23

Mon problème était l'égocentrisme. Toute ma vie, les gens avaient fait beaucoup de choses pour moi, et non seulement je trouvais cela normal, mais en plus je ne leur en étais pas reconnaissant et je leur en voulais de ne pas en faire davantage. Pourquoi aider les autres, alors que c'étaient eux qui étaient censés m'aider ? Ne méritaient-ils pas les problèmes qu'ils avaient ? J'étais plein d'apitoiement sur mon sort, de colère et de ressentiment. Puis j'ai appris qu'en aidant les autres sans rien attendre en retour, je pourrais venir à bout de cet égoïsme qui m'obsédait, et que si je comprenais ce qu'est l'humilité, je connaîtrais la paix et la sérénité. Je n'ai plus besoin de boire.

« CEUX QUI SOUFFRENT ENCORE »

Pour nous, par contre, il persiste un grave danger pour notre santé mentale et pour notre vie même si nous négligeons ceux qui souffrent encore.

LES DOUZE ÉTAPES ET LES DOUZE TRADITIONS, P. 173

Je sais bien ce que c'est que de boire sans pouvoir s'en empêcher, pour calmer ses nerfs et ses peurs. Je connais bien, aussi, la souffrance d'une abstinence angoissée. Aujourd'hui, je n'oublie pas l'inconnu qui souffre encore en silence, s'isolant et cherchant refuge désespérément dans l'alcool. Je prie ma Puissance supérieure de me guider et de me donner le courage d'être un instrument rempli de compassion et de générosité. Puisse le groupe continuer de me donner la force de faire avec les autres ce que je ne peux pas faire seul.

COMBIEN VAUT MA SOBRIÉTÉ ?

Tous les groupes devraient subvenir entièrement à leurs besoins et refuser les contributions de l'extérieur.

LES DOUZE ÉTAPES ET LES DOUZE TRADITIONS, P. 183

Quand je fais des courses, je regarde les prix et si j'ai besoin d'une chose, je la prends et je la paie. Maintenant que je suis censée être en train de me rétablir, je dois mettre de l'ordre dans ma vie. Quand je vais à une réunion des AA, je prends un café avec sucre et lait, parfois plusieurs. Par contre, au moment de la collecte, ou bien je suis trop occupée pour prendre de l'argent dans mon sac, ou bien je n'ai pas un sou. Pourtant, si je suis à cette réunion, c'est que *j'en ai besoin*. J'ai entendu quelqu'un suggérer de mettre le prix d'une bière dans le chapeau, mais j'ai trouvé que c'était trop ! Je ne donne presque jamais un dollar. Comme beaucoup d'autres, je compte sur les plus généreux pour financer le mouvement. J'oublie ce que coûtent la location de la salle, le lait, le sucre, les gobelets. Pourtant je vais payer sans hésitation un café au restaurant après la réunion ; pour ça, j'ai toujours de l'argent. Alors, combien valent ma sobriété et ma paix intérieure ?

DONNER SANS COMPTER

Nous ferons les sacrifices nécessaires à l'unité des Alcooliques anonymes. Nous le ferons parce que nous avons appris à aimer Dieu et à nous aimer les uns les autres..

LE MOUVEMENT DES AA DEVIENT ADULTE, P. 242

Subvenir à mes besoins « par mes propres contributions » n'était pas mon point fort à l'époque où je buvais. Il fallait toujours que j'affiche le prix, quand il m'arrivait de donner de mon temps ou de mon argent.

Au nouveau que j'étais on a dit : « Il faut donner ce qu'on a reçu si on veut le conserver. » Quand j'ai commencé à adopter les principes des Alcooliques anonymes dans ma vie, j'ai vite découvert que c'était un privilège de pouvoir donner au mouvement pour exprimer la gratitude que je ressentais. Mon amour de Dieu et des autres est devenu la principale motivation de ma vie et je n'attendais rien en retour. Je me rends compte, maintenant, que si j'arrive à donner sans compter, c'est parce que Dieu s'exprime à travers moi.

LES PERSONNES QUI SOUFFRENT ENCORE

Résistons à la tentation orgueilleuse de croire que si Dieu nous a donné le pouvoir de bien faire dans un domaine, nous sommes la voie du salut pour tous les hommes. .

LE MOUVEMENT DES AA DEVIENT ADULTE, P. 240

Les groupes des AA sont là pour aider les alcooliques à devenir abstinents. Que ces groupes soient petits ou gros, récents ou bien établis, qu'ils se réunissent pour échanger, étudier les Étapes ou écouter un conférencier, tous n'ont qu'une raison d'être : transmettre le message à l'alcoolique qui souffre encore. Le groupe est là pour que l'alcoolique puisse trouver une nouvelle façon de vivre, une vie remplie de bonheur, de joie et de liberté. Pour se rétablir, la plupart des alcooliques ont besoin de l'aide d'un groupe d'autres alcooliques qui partagent avec eux leur expérience, leur force et leur espoir. Ma sobriété et la survie de notre mouvement dépendent donc de ma détermination à m'occuper d'abord de ce qui est le plus important.

DES DONS ANONYMES

Alcooliques actifs, nous cherchions toujours à ce qu'on nous fasse l'aumône.

LES DOUZE TRADITIONS ILLUSTRÉES, LA SEPTIÈME TRADITION

La Septième Tradition me pose un défi personnel. Elle me rappelle de partager et de faire don de moi-même. Avant de devenir abstinent, la seule chose que je soutenais de mes dons, c'était mon habitude de boire. Aujourd'hui, j'essaie de donner un sourire, un mot gentil, une main secourable.

J'ai compris que je devais commencer à marcher par mes propres moyens et permettre à mes nouveaux amis de m'accompagner parce que, grâce à la pratique des Douze Étapes et des Douze Traditions, ma vie n'a jamais été aussi belle.

REDONNER

... [Il a] découvert quelque chose d'encore mieux que l'or... Il ne verra pas tout de suite qu'il a, en fait, déterré le petit bout d'une veine sans fin et que ce filon ne rapportera des dividendes que s'il continue de l'exploiter le restant de ses jours en cédant tout le produit aux autres.

LES ALCOOLIQUES ANONYMES, P. 146

Pour moi, la Septième Tradition signifie beaucoup plus qu'un don pour payer le café. Elle signifie que je suis accepté tel que je suis en appartenant à un groupe. Pour la première fois, je suis capable d'être responsable parce que j'ai le choix. Je peux apprendre les principes qui me permettront de régler mes problèmes quotidiens en m'occupant des « affaires » des AA. Grâce à l'autofinancement, je peux redonner aux AA ce que les AA m'ont donné ! En redonnant, je peux non seulement garantir ma sobriété mais m'assurer aussi que le mouvement sera encore là pour mes petits-enfants.

UNE PRIÈRE TOUTES SAISONS

Mon Dieu, donnez-moi la sérénité d'accepter les choses que je ne peux changer, le courage de changer les choses que je peux, et la sagesse d'en connaître la différence.

LES DOUZE ÉTAPES ET LES DOUZE TRADITIONS, P. 143

L'incroyable puissance de cette prière réside dans le fait que sa beauté toute simple va de pair avec celle du mouvement des AA. Il m'arrive parfois de bloquer en la récitant, mais quand j'examine la partie qui me trouble, je découvre la solution à mon problème. La première fois que cela est arrivé, j'ai eu peur ; maintenant, cette prière est devenue pour moi un outil précieux. En acceptant la vie comme elle est, j'obtiens la sérénité. En agissant, j'obtiens le courage. Enfin, je remercie Dieu de m'accorder la capacité de faire la distinction entre les situations où je peux agir et celles où je dois m'en remettre à lui. Tout ce que je possède aujourd'hui est un don de Dieu : ma vie, mon sentiment d'utilité, ma satisfaction, le mode de vie des AA. La sérénité me permet de continuer à avancer.

Il y a *vraiment* une méthode plus facile, plus douce, les Alcooliques anonymes.

LA VIE SPIRITUELLE

La vie spirituelle n'est pas une théorie. Nous devons la vivre.

LES ALCOOLIQUES ANONYMES, P. 94

À mes débuts dans le mouvement, je ne savais pas comment vivre la dimension spirituelle du programme, mais maintenant que je suis abstinent, je ne vois pas comment je pourrais m'en passer. En fait, j'ai toujours recherché la spiritualité. Dieu, tel que je le conçois, m'a donné des réponses aux questions qui m'ont fait boire pendant vingt ans. En vivant ma spiritualité, en demandant l'aide de Dieu, j'ai appris à aimer mes semblables, à m'occuper d'eux, à avoir de la compassion pour eux ; j'ai appris à ressentir de la joie dans un monde où je n'avais auparavant ressenti que de la peur.

NOUS CONSENTONS À ...

Pour l'instant, nous tentons de mettre de l'ordre dans notre vie. Cela ne constitue cependant pas une fin en soi.

LES ALCOOLIQUES ANONYMES, P. 86

Comme je peux m'égarer facilement au moment d'aborder la Huitième Étape ! Je souhaite être libre, être transformé en quelque sorte par les Sixième et Septième Étapes. Maintenant plus que jamais, je suis vulnérable face à mon intérêt personnel et à mes objectifs cachés. Je prends grand soin de ne pas oublier que la satisfaction personnelle que je ressens parfois d'être pardonné par ceux que j'ai blessés n'est pas mon but. Je suis disposé à faire amende honorable parce que je sais que cela me remettra sur pied, me fera reprendre la route et me permettra de connaître la volonté de Dieu à mon égard.

... DEVENIR SERVIABLES

Notre but véritable est de nous préparer à nous mettre en état de servir le plus possible Dieu et les personnes qui nous entourent.

LES ALCOOLIQUES ANONYMES, P. 86

Il est évident que le plan de Dieu à mon égard s'exprime par l'amour. Il m'a suffisamment aimé pour me sortir des ruelles et des prisons, afin que je puisse participer utilement au monde qu'Il a créé. Je dois répondre à son amour en aimant tous ses enfants par le service et l'exemple. Je lui demande de m'aider à imiter son amour pour moi par mon amour pour les autres.

LES GRAINES DE LA FOI

La foi, c'est certain, est indispensable, mais la foi seule ne peut servir à rien. Nous pouvons avoir la foi et continuer maintenir Dieu à l'extérieur de notre vie.

LES DOUZE ÉTAPES ET LES DOUZE TRADITIONS, P. 40

Enfant, je passais mon temps à poser des questions sur l'existence de Dieu. Pour un « esprit scientifique » comme le mien, aucune réponse ne résistait à un examen détaillé, jusqu'au jour où une femme très patiente m'a dit : « Il faut que tu aies la foi. » Cette simple phrase a semé en moi les graines de la foi.

Aujourd'hui, en me rétablissant – en arrachant les mauvaises herbes de l'alcoolisme – je laisse tranquillement ces premières graines croître et s'épanouir. Chaque jour de rétablissement, de jardinage fervent, fait entrer un peu plus dans ma vie ma Puissance supérieure, telle que je la conçois. Dieu a toujours été présent grâce à la foi, mais j'ai la responsabilité de désirer et d'accepter cette présence.

Je demande à Dieu de me disposer à faire sa volonté.

ÉCOUTER ATTENTIVEMENT

Avec quelle obstination nous invoquons le droit de choisir nous-mêmes le cours de nos pensées et de nos actes !

LES DOUZE ÉTAPES ET LES DOUZE TRADITIONS, P. 43

Si j'accepte et si je suis les conseils de ceux et celles qui ont tiré avantage du programme, je pourrai peut-être sortir des limites de mon passé. Certains problèmes s'évanouiront d'eux-mêmes, alors que d'autres exigeront peut-être une action patiente et réfléchie. Écouter attentivement ce que disent les autres m'aidera à faire preuve d'intuition pour résoudre les problèmes inattendus. Il est préférable que j'évite d'agir avec impétuosité. Assister à une réunion ou appeler un membre des AA contribue habituellement à réduire suffisamment la tension pour soulager le malade désespéré que je suis. Parler de mes problèmes, dans les réunions avec des alcooliques semblables à moi, ou en privé avec mon parrain, peut changer ma façon de voir certains aspects des situations dans lesquelles je me trouve. J'ai reconnu mes défauts et je commence à voir comment ils jouent contre moi. Quand je mets ma foi dans la force spirituelle du programme, quand je fais confiance aux autres pour m'apprendre ce que je dois faire pour améliorer ma vie, je découvre que je peux compter sur moi pour faire le nécessaire.

ANIMÉ PAR L'ÉGOÏSME

Animés par une centaine de peurs, déçus de nous-mêmes, ne recherchant que nos intérêts et nous apitoyant sur notre sort, nous marchons sur les pieds de nos semblables et ils réagissent...

LES ALCOOLIQUES ANONYMES, P. 69-70

L'égoïsme, voilà ce qui me poussait à boire. Je buvais pour arroser mes succès et je buvais pour noyer mes soucis. L'humilité est le remède. J'apprends à confier ma volonté et ma vie aux soins de Dieu. Mon parrain me dit que le service m'aide à rester abstinent. Aujourd'hui je m'interroge : « Ai-je cherché à connaître la volonté de Dieu à mon égard ? Ai-je rendu service à mon groupe des AA ? »

UN « MODE DE VIE »

Nous avons, à notre tour, cherché la même issue, avec l'énergie désespérée de celui qui se noie. Ce qui, semblait d'abord être un mince roseau s'est révélé être la main forte et secourable de Dieu. Une nouvelle vie ou plutôt un « mode de vie » vraiment efficace nous a été offert.

LES ALCOOLIQUES ANONYMES, P. 32

Tous les jours, j'essaie de tendre vers Dieu mon cœur et mes mains pour le remercier de m'avoir montré un « mode de vie » qui fonctionne réellement, grâce à notre beau mouvement. Mais quel est *exactement* ce « mode de vie... vraiment efficace » ? Pour moi, c'est pratiquer de mon mieux les Douze Étapes, demeurer conscient de l'amour inconditionnel de Dieu et espérer que chaque nouvelle journée donne un but à mon existence. Je suis réellement béni dans notre mouvement.

« NOUS AVONS DRESSÉ LA LISTE... »

Nous avons dressé une liste de toutes les personnes que nous avions lésées...

LES DOUZE ÉTAPES ET LES DOUZE TRADITIONS, P. 89

Quand j'ai abordé la Huitième Étape, je me suis demandé comment dresser la liste de tout ce que j'avais fait aux autres ; il y avait tellement de gens et quelques-uns n'étaient plus de ce monde. Certains de mes torts n'étaient pas graves, mais me troublaient beaucoup. Dans cette Étape, l'important est de me montrer disposé à faire le nécessaire pour m'excuser du mieux que je le peux à ce moment précis. Quand on veut on peut. Si je tiens à me sentir mieux, je dois me décharger de mon sentiment de culpabilité qui n'a pas sa place dans un esprit en paix. Avec l'aide de ma Puissance supérieure, si je suis honnête vis-à-vis de moi, je pourrai débarrasser mon esprit de cette culpabilité.

« ... DE TOUTES LES PERSONNES QUE NOUS AVIONS LÉSÉES »

... et nous avons consenti à réparer nos torts envers chacune d'elles.

LES DOUZE ÉTAPES ET LES DOUZE TRADITIONS, P. 89

L'un des mots clés de la Huitième Étape est « toutes ». Je ne suis pas libre de choisir d'inscrire certains noms sur ma liste et d'en laisser d'autres de côté. Ce doit être une liste de « toutes » les personnes que j'ai lésées. Je vois tout de suite que cette Étape suppose le pardon, car si je ne suis pas disposé à pardonner à quelqu'un, comment pourrais-je placer son nom sur ma liste ? Avant d'écrire le premier nom, je fais cette courte prière : « Je pardonne à toute personne qui a pu me léser, peu importe à quel moment et dans quelle circonstance. »

Je ferais bien de considérer avec soin un mot court mais lourd de sens du Notre Père. Quand je dis : « Pardonne-nous nos offenses comme nous pardonnons à ceux qui nous ont offensés », le mot « comme » signifie « de la même manière ». Je demande à être pardonné de la même manière que je pardonne aux autres. Si je nourris de la haine ou des rancunes au moment de réciter cette partie de la prière, je fais croître le ressentiment, alors que je devrais demander l'esprit de pardon.

REDOUBLER D'EFFORTS

Jusqu'à un certain point, il l'a déjà fait lors de son inventaire moral, mais le moment est maintenant venu de redoubler d'efforts pour découvrir toutes les personnes qu'il a blessées et comment il l'a fait.

LES DOUZE ÉTAPES ET LES DOUZE TRADITIONS, P. 89-90

Alors que ma croissance se poursuit dans la sobriété, je prends davantage conscience de ma valeur comme personne humaine. Par la même occasion, je suis mieux en mesure de voir les autres comme des personnes et de prendre ainsi conscience que ce sont des personnes que j'ai blessées quand je buvais. Je n'ai pas fait que mentir, j'ai menti sur le compte de Thomas ; je n'ai pas fait que tricher, je l'ai fait au détriment de Joseph. Ces gestes qui me semblaient impersonnels, étaient en fait des affronts personnels, parce que je faisais du tort à des personnes – des personnes humaines comme moi. Je dois faire quelque chose au sujet des personnes que j'ai blessées afin de pouvoir jouir d'une sobriété sereine.

ENLEVER LE « VERRE BROYÉ »

L'inventaire moral est un examen calme des dommages que nous avons subis dans la vie, et un effort sincère pour les voir dans leur juste perspective. Il a pour effet de nous débarrasser de ce verre broyé, cette substance émotionnelle qui continue à nous cisailler et à nous paralyser.

RÉFLEXIONS DE BILL, P. 140

À la Huitième Étape, tenter de dresser ma liste provoquait habituellement un tourbillon de ressentiment. Après quatre ans d'abstinence, j'étais bloquée par mes propres dénégations reliées à une relation abusive. Quand j'ai fait passer de ma tête à mon cœur les mots de cette Étape, le débat entre la peur et l'orgueil s'est atténué. Pour la première fois depuis des années, j'ai sorti ma boîte de peintures et j'ai dessiné une vraie colère, une explosion de rouges, de noirs et de jaunes. À travers des larmes de joie et de soulagement, j'ai regardé mon dessin. Ma maladie m'avait emmenée à abandonner mon art, une punition que je m'étais imposée et qui me faisait bien plus mal que toute autre punition imposée de l'extérieur. En me rétablissant, je me rends compte que Dieu se sert de la souffrance même que m'infligent mes défauts pour me purifier et me libérer.

UN REGARD EN ARRIÈRE

Nous examinons d'abord notre passé pour tâcher d'y découvrir à quels moments nous avons été fautifs ; ensuite, nous nous appliquons fermement à réparer les torts que nous avons causés...

LES DOUZE ÉTAPES ET LES DOUZE TRADITIONS, P. 89

En route avec les AA pour un nouveau voyage passionnant vers le rétablissement, je connaissais la paix d'esprit et l'horizon m'apparaissait non pas terne et sombre, mais clair et radieux. Passer en revue ma vie pour voir où j'avais été fautif m'est apparu comme une tâche bien difficile et bien dangereuse. Il m'était pénible de regarder en arrière et j'avais peur de trébucher. Pourquoi ne pas oublier totalement le passé et me contenter de vivre dans mon nouveau et merveilleux présent ? Je me suis rendu compte que celles et ceux que j'avais lésés dans le passé me bloquaient le passage sur la route de la sérénité. J'ai dû prier pour avoir le courage de faire face à ces personnes qui avaient traversé ma vie et qui hantaient encore ma conscience, afin d'identifier et de liquider la culpabilité qu'elles m'inspiraient. Je devais reconnaître les torts que j'avais causés et consentir à faire amende honorable. Après seulement, je pourrais reprendre mon voyage spirituel.

UN COUP DE BALAI

... en troisième lieu, après avoir nettoyé les débris du passé, nous nous demandons comment nous pourrons, avec notre nouvelle connaissance de nous-mêmes, construire les meilleures relations possibles avec chacune des personnes que nous connaissons.

LES DOUZE ÉTAPES ET LES DOUZE TRADITIONS, P. 89

Quand je me suis retrouvé face à la Huitième Étape, tout ce qui avait été nécessaire au succès des sept Étapes précédentes se trouvait réuni : le courage, l'honnêteté, la sincérité, la bonne volonté et la minutie. Au début, je ne me sentais pas la force de m'attaquer à cette nouvelle tâche, mais l'Étape dit bien qu'il faut d'abord « consentir ».

J'avais besoin de trouver le courage de commencer, l'honnêteté de voir où je m'étais trompé, le désir sincère de mettre de l'ordre dans ma vie, la minutie nécessaire à l'établissement d'une liste et de la bonne volonté pour prendre les risques inhérents à une humilité vraie. Ma Puissance supérieure m'a aidé à développer ces vertus ; j'ai pu faire ma Huitième Étape et continuer à rechercher la croissance spirituelle.

RÉPARER LES DÉGÂTS

Nous tentons de réparer les dégâts que nous avons causés en voulant imposer nos volontés et diriger nous-mêmes le spectacle. Si nous n'avons pas la force de le faire, nous prions jusqu'à ce qu'elle nous soit donnée. Souvenez-vous qu'il était entendu au début que nous ne reculerions devant rien pour vaincre l'alcool.

LES ALCOOLIQUES ANONYMES, P. 86

Cela ne m'a pas été trop difficile de dresser la liste des personnes que j'avais lésées, car je les avais retrouvées dans mon inventaire de la Quatrième Étape ; c'étaient les mêmes personnes envers qui j'entretenais de la rancune, fondée ou non, et que j'avais blessées pour me venger. Pour que mon rétablissement soit total, il n'était pas important que les personnes qui, à bon droit, m'avaient blessé, s'excusent auprès de moi. Ce qui compte dans ma relation avec Dieu, c'est que je puisse apparaître devant Lui conscient d'avoir fait tout ce que je pouvais pour réparer mes torts.

QUI N'A JAMAIS BLESSÉ *PERSONNE* ?

Il y en a parmi nous qui avons par contre été confrontés à un tout autre obstacle. Nous prétendions obstinément qu'en buvant, nous n'avions jamais causé de tort à personne si ce n'est à nous-mêmes.

LES DOUZE ÉTAPES ET LES DOUZE TRADITIONS, P. 91

La Huitième Étape semblait tellement facile. J'ai identifié plusieurs personnes que j'avais lésées, mais elles n'étaient plus là. Pourtant, cette Étape me mettait mal à l'aise et j'évitais les conversations sur ce sujet. Avec le temps, j'ai appris à m'interroger sur les Étapes et sur les aspects de ma vie qui me mettaient mal à l'aise. En cherchant bien, j'ai découvert que j'avais beaucoup fait souffrir mes parents en m'isolant d'eux, que j'avais causé des soucis à mon employeur par mes absences, mes pertes de mémoire et mes humeurs, que j'avais fui mes amis sans explication. Face à ces torts bien réels, la Huitième Étape a revêtu un sens nouveau. Je ne me sens plus mal à l'aise, mais purifié et léger.

J'AVAIS « DÉCROCHÉ »

Nous pourrions ensuite nous demander ce que nous entendons par le terme « léser » d'autres personnes. Comment, en fin de compte, peut-on léser une autre personne ? Pour définir ce mot d'une façon concrète, nous pourrions dire que c'est le résultat d'un conflit d'instincts qui cause chez les autres des dommages physiques, mentaux, émotifs ou spirituels.

LES DOUZE ÉTAPES ET LES DOUZE TRADITIONS, P. 93

J'avais déjà assisté à des réunions sur la Huitième Étape en me répétant : « En fait, je n'ai pas lésé tellement de personnes, mais surtout moi-même. » Mais quand le temps est venu de dresser ma liste, elle n'était pas aussi courte que je l'aurais cru. Il y avait ceux que j'aimais, ceux que je n'aimais pas ou ceux dont j'attendais quelque chose. C'était aussi simple que ça. Les gens n'avaient pas fait ce que je voulais et toute relation intime était impossible parce que mes compagnons avaient des exigences déraisonnables. Était-ce là des « péchés par omission » ? Parce que je buvais, j'avais « décroché » ; je n'envoyais plus de cartes de souhaits, je ne retournais plus les appels, je n'étais plus là pour les autres, je ne partageais plus leur vie. Quelle grâce ce fut d'examiner mes relations, de faire l'inventaire dans le calme, seule avec Dieu tel que je le conçois, et de poursuivre ma route, un jour à la fois, désireuse d'être honnête et franche dans mes relations.

REDRESSER LES TORTS

Nous découvrirons qu'en plusieurs occasions, les dommages causés aux autres ont peut-être été minimes, mais nous nous sommes infligé un dur choc émotif.

LES DOUZE ÉTAPES ET LES DOUZE TRADITIONS, P. 92

Avez-vous déjà pensé que le tort fait à un associé en affaires ou à un membre de la famille était si minime qu'il ne méritait pas que vous fassiez des excuses, d'autant plus que la personne concernée ne s'en souvenait sans doute même pas ? Si cette personne ou le tort qui lui a été fait me revient constamment à l'esprit, provoquant un sentiment de malaise ou même de culpabilité, je mets son nom en tête de ma liste ; je consens à m'excuser sincèrement, en sachant que je me sentirai calme et détendu au sujet de cette personne après avoir franchi cette très importante étape de mon rétablissement.

GUÉRIR

Des conflits émotifs néfastes et très profonds, parfois tout à fait oubliés, persistent cependant au niveau de notre subconscient.

LES DOUZE ÉTAPES ET LES DOUZE TRADITIONS, P. 92

C'est seulement en posant des gestes concrets que je peux éliminer un reste de culpabilité et de honte de ma vie d'alcoolique. Tout au long de mes mésaventures d'alcoolique, mes amis me disaient : « Pourquoi agis-tu ainsi ? Tu ne réussis qu'à te faire mal. » Si seulement j'avais compris à quel point c'était vrai. J'ai sans doute fait du tort aux autres, mais certains de mes comportements ont profondément blessé mon âme. Je peux, grâce à la Huitième Étape, me pardonner à moi-même. En dressant la liste des personnes que j'ai lésées, je fais disparaître une grande partie des blessures cachées. En faisant amende honorable, je me libère d'un poids et je contribue à ma guérison.

UN CADRE DE RÉFÉRENCE

Nous sommes revenus à notre liste. En ne tenant pas compte des torts des autres envers nous, nous avons résolu d'examiner nos propres fautes. Dans quels cas avions-nous été égoïstes, malhonnêtes ou effrayés ?

LES ALCOOLIQUES ANONYMES, P. 76

Quelle merveilleuse liberté que celle de ne pas avoir constamment besoin de l'approbation de mes collègues de travail ou de mes proches ! Comme j'aurais aimé connaître cette Étape auparavant ! À partir du moment où j'ai établi un cadre de référence, je me suis senti capable de faire ce que je devais faire, sachant quelle action convenait parfaitement à chaque situation.

LA LIBERTÉ ÉMOTIVE

Puisque la mauvaise qualité de nos relations avec les autres a presque toujours été la cause immédiate de nos malheurs, y compris notre alcoolisme, c'est certainement le champ d'examen qui devrait nous fournir les résultats les plus précieux et les plus satisfaisants.

LES DOUZE ÉTAPES ET LES DOUZE TRADITIONS, P. 92

La bonne volonté, pour moi, est une chose curieuse. Elle semble d'abord se manifester au moment de la prise de conscience, mais avec le temps, elle s'accompagne d'un malaise croissant qui me pousse à agir. En me préparant à la Huitième Étape, mon désir de m'excuser s'est traduit par le besoin de pardonner aux autres et à moi-même. J'ai été capable de pardonner aux autres après avoir pris conscience de ma responsabilité dans les difficultés qu'avaient connues nos relations. Je voulais ressentir la paix et la sérénité décrites dans les « promesses ». En faisant les sept premières Étapes, j'ai pu voir qui j'avais blessé et prendre conscience du fait que j'avais moi-même été mon pire ennemi. Je savais que je devais changer si je voulais rétablir des relations avec mes semblables. Je voulais vivre dans l'harmonie avec moi-même et avec les autres, de manière à connaître la liberté émotive. L'établissement de ma liste, à la Huitième Étape, a marqué le début de la fin de mon isolement de mes semblables et de Dieu.

IL SUFFIT D'ESSAYER

Ce qui m'a stabilisé, c'est de chercher à donner, non à recevoir.

LES MEILLEURS ARTICLES DE BILL, P. 47

Tant que j'essaie, de tout mon cœur et de toute mon âme, de transmettre aux autres ce que j'ai reçu, sans rien demander en retour, la vie est bonne pour moi. Avant d'entrer dans le mouvement des Alcooliques anonymes, je ne pouvais jamais rien donner sans demander quelque chose en retour. J'étais loin de me douter que dès que je commencerais à donner un peu de moi-même sans compter, je commencerais à recevoir sans jamais avoir à attendre ou à demander. Ce que je reçois, aujourd'hui, c'est le cadeau du « réconfort », comme Bill ; c'est la stabilité du mode de vie des AA, une stabilité que je retrouve en moi, mais surtout dans ma relation avec ma Puissance supérieure, que j'appelle Dieu.

STABILITÉ ÉMOTIVE

Un peu plus loin dans notre progression, nous avons découvert que Dieu lui-même était la plus grande source de stabilité émotive. Nous avons compris qu'il était salutaire de nous en remettre à Sa justice, à Son pardon et à Son amour sans limite ; ce recours serait toujours efficace quand tous les autres auraient échoué. Si nous comptions vraiment sur Dieu, il n'était plus guère possible de jouer le rôle de Dieu envers notre prochain, et il n'y aurait plus cette irrésistible tendance à compter entièrement sur la protection et l'attention humaines.

LES DOUZE ÉTAPES ET LES DOUZE TRADITIONS, P. 133

Toute ma vie, j'ai compté sur les autres pour ma sécurité affective et mes besoins émotifs, mais aujourd'hui cela n'est plus possible. Grâce à Dieu, j'ai admis mon impuissance devant les gens, les lieux et les choses. J'avais développé une réelle « dépendance » à l'égard des autres ; partout où j'étais, il fallait que quelqu'un m'accorde de l'attention. Ce genre d'attitude ne pouvait qu'empirer car plus j'étais dépendant des autres et plus je demandais d'attention, moins j'en recevais.

Il m'a fallu cesser de croire qu'une quelconque puissance humaine pourrait combler ce vide. Même si je demeure un être humain fragile et même si je dois pratiquer les Étapes des AA pour ne pas placer ma personnalité au-dessus des principes, je sais que seul un Dieu aimant peut me donner la paix intérieure et la stabilité émotive.

NOTRE VIE FAMILIALE

Pouvons-nous apporter dans notre vie de famille souvent perturbée le même esprit d'amour et de tolérance que dans notre groupe AA ?

LES DOUZE ÉTAPES ET LES DOUZE TRADITIONS, P. 127-128

Les membres de ma famille souffrent des conséquences de ma maladie. En les aimant et en les acceptant tels qu'ils sont, comme je le fais pour les membres des AA, je favorise en échange l'amour, la tolérance et l'harmonie dans ma propre vie. La plus élémentaire courtoisie et le respect de l'espace vital des autres sont des pratiques nécessaires dans tous les domaines de ma vie.

UNE ÉNIGME

Il est peut-être possible de trouver des explications à des expériences spirituelles semblables aux nôtres. J'ai souvent essayé d'expliquer la mienne et je n'ai réussi qu'à en faire le récit. Je connais l'impression qu'elle a faite sur moi et les résultats qu'elle m'a apportés, mais je me rends compte que je ne pourrai jamais comprendre pleinement pourquoi ni comment.

RÉFLEXIONS DE BILL, P. 313

Pendant une réunion publique des Alcooliques anonymes, j'ai vécu une expérience spirituelle intense qui m'a amené à avouer : « Je suis alcoolique ! » Depuis ce jour, je n'ai pas pris un verre. Je peux répéter les paroles entendues juste avant mon aveu et dire comment elles m'ont touché, mais je ne saurais pas dire pourquoi cela est arrivé. Je crois avoir été choisi par une Puissance supérieure pour me rétablir, mais je ne sais pas pourquoi. J'essaie de ne pas m'inquiéter ou de ne pas m'interroger au sujet de ces choses qui m'échappent encore, mais plutôt d'avoir confiance. Je crois que si je continue de mettre en pratique les Étapes et les principes des AA, si je raconte mon histoire, je serai guidé avec amour vers une spiritualité adulte et profonde et j'en saurai davantage. Pour le moment, c'est un don d'avoir confiance en Dieu, de me servir des Étapes et d'aider les autres.

UN LIEN AFFECTIF EN CADEAU

Délivrez-moi de l'esclavage de l'égoïsme pour que je puisse mieux faire Votre volonté.

LES ALCOOLIQUES ANONYMES, P. 71

À l'époque où je buvais, j'ai bu bien des fois pour tenter d'établir un lien entre moi et les autres, mais je n'ai réussi qu'à m'enfermer dans ma solitude d'alcoolique. En adoptant le mode de vie des AA, j'ai reçu en cadeau un lien affectif : avec ceux et celles qui étaient là avant moi, qui sont là maintenant ou que nous attendons encore. Je serai toujours reconnaissant à Dieu de ce cadeau inestimable.

SE DONNER

Bien que conscients de l'obligation qu'ils avaient d'aider d'autres alcooliques s'ils voulaient demeurer abstinents, la motivation de l'abstinence était secondaire. Elle a été transcendée par le bonheur qu'ils éprouvaient à se donner pour les autres.

LES ALCOOLIQUES ANONYMES, P. 179

Ces mots évoquent pour moi un transfert de pouvoir qui permet à Dieu, tel que je le conçois, d'entrer dans ma vie. La prière et la méditation ouvrent des canaux de communication par lesquels j'établis et améliore ma relation avec Dieu. L'action me donne ensuite la force nécessaire au maintien de ma sobriété, un jour à la fois. En me maintenant en forme spirituellement, en redonnant ce qu'on m'a donné si généreusement, j'obtiens un sursis quotidien.

CONCENTRER MES PENSÉES

Lorsque la Deuxième Guerre mondiale a éclaté, la dépendance des AA envers une Puissance supérieure a été mise à rude épreuve pour la première fois. Des membres des AA dans les forces armées ont été dispersés à travers le monde. Sauraient-ils se soumettre à la discipline, ne pas flancher sous le feu de l'ennemi et supporter... ?

RÉFLEXIONS DE BILL, P. 200

Je vais concentrer mes pensées sur une Puissance supérieure. Je vais capituler devant cette puissance en moi. Je vais devenir un de ses soldats, conscient de la force de l'armée spirituelle qui occupe ma vie aujourd'hui. Je vais établir des liens spirituels avec cette Puissance supérieure par la gratitude, l'obéissance et la discipline. Puisse-t-elle m'aider à exécuter ses ordres aujourd'hui. Puissent les étapes mises en pratique aujourd'hui renforcer mes paroles et mes actes. Je dois être conscient qu'il m'appartient de partager le message qui m'a été donné gratuitement par cette Puissance supérieure.

ALLÉGER LE FARDEAU

Montrer à ceux qui souffrent que la somme d'aide que nous avons reçue constitue la chose qui semble nous rendre la vie si précieuse aujourd'hui... votre noir passé est... la clé de la vie et du bonheur des autres.

LES ALCOOLIQUES ANONYMES, P. 140

Depuis que je suis abstinent, je suis libéré de bien des souffrances : celle d'avoir trompé ma compagne, celle d'avoir laissé tomber mon meilleur ami, celle d'avoir déçu les espoirs de ma mère. Il s'est trouvé quelqu'un dans le mouvement pour me parler d'un problème semblable et cela m'a permis de raconter ce qui m'était arrivé. Après, nous nous sommes tous les deux retrouvés le cœur plus léger.

JE CHOISIS L'ANONYMAT

Nous sommes assurés que l'humilité, telle qu'elle s'exprime dans l'anonymat, est la protection la plus efficace que peuvent se donner les Alcooliques anonymes.

LES DOUZE ÉTAPES ET LES DOUZE TRADITIONS, P. 215

Comme il n'y a pas de règlement chez les AA, je détermine la place que je veux occuper et c'est celle de l'anonymat. Humblement, je désire que mon Dieu se serve de moi comme d'un de ses outils dans le mouvement. Le sacrifice est l'art de me donner sans compter, de laisser l'humilité remplacer mon ego. Avec la sobriété vient la capacité de réprimer le besoin de dire au monde entier que je suis membre des AA, et cela me procure joie et paix. Je laisse aux gens le soin de constater les transformations qui se produisent en moi et de me demander ce qui s'est passé. Je mets les principes spirituels au-dessus des jugements, du dénigrement et de la critique. Je désire l'amour et l'affection de mon groupe pour pouvoir continuer à grandir.

UNE SEULE CONDITION

Il fut un temps... où les groupes multipliaient les conditions d'admission. Chacun avait une peur folle que quelqu'un ou quelque chose fasse chavirer la barque... La liste totale était interminable. Si on avait appliqué partout toutes ces règles, personne n'aurait pu devenir membre...

LES DOUZE ÉTAPES ET LES DOUZE TRADITIONS, P. 160

Je suis reconnaissant que la Troisième Tradition n'exige que le désir d'arrêter de boire. Depuis des années, je n'arrivais pas à tenir mes promesses. Dans le mouvement, je n'avais pas à faire de promesses, je n'avais pas à me concentrer. Il a suffi d'une réunion pour que je sache, malgré l'état de confusion dans lequel j'étais, que je venais de trouver mon *chez-moi*. Je n'ai pas eu besoin de jurer un amour indéfectible. Des étrangers m'ont pris dans leurs bras en me disant « Le meilleur est à venir » et « Un jour à la fois, ça se fait ». Ils n'étaient plus des étrangers, mais des amis attentifs. Je demande à Dieu de m'aider à tendre la main aux personnes qui désirent la sobriété et à garder un cœur reconnaissant.

UN PROGRAMME UNIQUE

On ne trouvera jamais chez les Alcooliques anonymes une catégorie de membres professionnels. Nous sommes parvenus à une certaine compréhension de ces paroles anciennes : « Vous avez reçu gratuitement, donnez gratuitement ». Nous avons découvert qu'au niveau professionnel, l'argent et la spiritualité ne font pas bon ménage.

LES DOUZE ÉTAPES ET LES DOUZE TRADITIONS, P. 190

Je crois que le mouvement des Alcooliques anonymes est dans une classe à part pour ce qui est du traitement de l'alcoolisme, parce qu'il repose sur le principe du partage entre deux alcooliques. Voilà ce qui rend le programme unique. Quand j'ai décidé que je voulais devenir abstinent, j'ai téléphoné à une femme qui était abstinente chez les AA et elle m'a transmis le message des Alcooliques anonymes. Elle n'a reçu en échange aucune compensation financière ; son salaire a plutôt été le maintien de sa propre sobriété pendant une journée de plus. Aujourd'hui, je ne pourrais demander un meilleur salaire qu'un jour de plus sans alcool ; je suis donc payé généreusement pour mon travail.

LE DÉSIR DE GRANDIR

Pour en recevoir d'autres [des fruits], notre réveil doit se poursuivre.

RÉFLEXIONS DE BILL, P. 8

La sobriété vient combler dans mon âme le vide douloureux creusé par l'alcoolisme. Souvent, je me sens si bien physiquement que je m'imagine que le travail est terminé. La joie, cependant, n'est pas seulement l'absence de souffrance mais aussi le don d'un réveil spirituel continu. La joie naît d'une étude incessante et dynamique, de l'application des principes de rétablissement dans ma vie quotidienne, du partage de mon expérience avec les autres. Ma Puissance supérieure m'offre bien des occasions de renforcer mon réveil spirituel. Il me suffit d'aborder mon rétablissement avec le désir de grandir. Aujourd'hui, je suis disposé à grandir.

« UNE RAISON DE CROIRE »

La volonté de progresser est l'essence de tout progrès spirituel.

RÉFLEXIONS DE BILL, P. 171

Il y a quelque part une chanson qui dit à peu près ceci : « ... et je cherche une raison de croire... ». Elle me rappelle qu'à une certaine époque, j'étais incapable de trouver une seule raison de croire que ma vie allait bien. Même si les AA m'avaient sauvé la vie, trois mois plus tard je retournais boire. Quelqu'un m'a dit : « Tu n'as pas besoin de croire. Il te suffit de *vouloir* croire que tu as une raison de vivre, même si tu ne la connais pas encore toi-même, même si tu ne sais pas toujours comment vivre. » Après m'être rendu compte à quel point je voulais croire que j'avais bel et bien une raison de vivre, j'ai pu commencer à mettre les Étapes en pratique. Maintenant, quand je dis : « Je suis disposé... », j'utilise la clé qui m'ouvre la porte de l'action, de l'honnêteté et de l'intervention d'une Puissance supérieure dans ma vie.

BÂTIR UNE VIE NOUVELLE

À notre avis, celui qui prétend qu'il suffit de ne pas boire n'a pas assez réfléchi à la question.

LES ALCOOLIQUES ANONYMES, P. 93

Quand je réfléchis à la Neuvième Étape, je me dis que l'abstinence doit me suffire. Je n'ai qu'à me rappeler dans quel état désespéré je me trouvais avant de devenir abstinent et à quel point j'étais prêt à faire n'importe quoi pour le demeurer. Pourtant, l'abstinence ne suffit pas à ceux qui m'entourent et je dois voir à utiliser ce don de Dieu pour leur bâtir une vie nouvelle. De plus, il importe que je sois disponible pour en aider d'autres qui désirent connaître le mode de vie des AA.

Je demande à Dieu de m'aider à partager le don de la sobriété, afin que les dividendes rejaillissent sur ceux que je connais et que j'aime.

RECONSTRUCTION

Oui nous avons un long travail de reconstruction devant nous.

LES ALCOOLIQUES ANONYMES, P. 93

Reconstruire ma vie, voilà l'objectif primordial de mon rétablissement. Pour cela, j'évite de prendre un premier verre, un jour à la fois. Je réussirai d'autant plus facilement dans cette tâche que je mettrai en pratique les Étapes de notre mouvement. La vie spirituelle n'est pas une théorie ; elle est efficace à condition de la vivre. La Deuxième Étape m'avait mis sur la route d'un voyage spirituel ; la Neuvième Étape me permet d'arriver à la destination finale des premières Étapes, à la préparation à une vie spirituelle. Sans les lumières et la force d'une Puissance supérieure, il me sera impossible de franchir les différentes étapes de la reconstruction. J'ai conscience que Dieu travaille pour moi et par moi. La preuve en est que Dieu a fait pour moi ce que je ne pouvais pas faire pour moi-même ; il m'a délivré de l'obsession de boire. Je dois chaque jour continuer de rechercher la volonté de Dieu. Il m'accorde un sursis quotidien et me donnera la force dont j'ai besoin pour mon travail de reconstruction.

ÉQUILIBRE ÉMOTIF

Nous avons réparé nos torts directement envers ces personnes, dans la mesure du possible...

LES DOUZE ÉTAPES ET LES DOUZE TRADITIONS, P. 95

En examinant mon passé de buveur, je me rappelle bien des personnes qui n'ont fait que passer dans ma vie, mais dont j'ai troublé l'existence par mes colères et mes railleries. Il m'est impossible de les retracer et de m'excuser auprès d'elles. La seule façon de faire amende honorable, d'adopter « l'attitude la plus indiquée », c'est de réparer indirectement mes torts par l'intermédiaire d'autres personnes qui croisent brièvement ma route. La pratique régulière de la courtoisie et de la bienveillance m'aide à connaître l'équilibre émotif et à vivre en paix avec moi-même.

ÉLIMINER LES MENACES À LA SOBRIÉTÉ

... sauf lorsqu'en ce faisant, nous risquions de leur nuire ou de nuire à d'autres.

LES DOUZE ÉTAPES ET LES DOUZE TRADITIONS, P. 95

La Neuvième Étape me redonne un sentiment d'appartenance, non seulement au sein de la race humaine mais aussi dans le monde de tous les jours. Tout d'abord, cette Étape me force à quitter la sécurité des AA pour affronter des personnes, « à l'extérieur », sur leur propre terrain plutôt que sur le mien. Cette démarche est terrifiante mais indispensable si je veux reprendre ma place dans la société. Ensuite, la Neuvième Étape me permet d'éliminer les menaces à ma sobriété en réparant mes torts dans mes relations passées. Elle m'indique la voie à suivre pour obtenir une sobriété plus sereine en m'aidant à me débarrasser des débris du passé, avant qu'ils ne me fassent trébucher.

NOS PROPRES DÉGÂTS

Nous sommes là pour réparer les dégâts dont nous sommes responsables, conscients que nous ne pourrons rien faire de valable tant que le passé n'aura pas été nettoyé. Nous évitons de lui dire ce qu'elle devrait faire. Seuls nos torts à nous sont mentionnés, jamais les siens.

LES ALCOOLIQUES ANONYMES, P. 87-88

Peu de temps après avoir cessé de boire, je me suis excusé auprès de mon père, mais mes paroles sont tombées dans l'oreille d'un sourd parce que je le blâmais pour mes malheurs. Après plusieurs mois, je me suis à nouveau excusé, cette fois en lui écrivant une lettre dans laquelle je ne lui adressais aucun reproche ni ne mentionnais ses torts. Cela a fonctionné. Enfin, j'avais compris ! Je ne suis responsable que de mes propres dégâts. Grâce à Dieu et aux AA, aujourd'hui ma maison est propre.

« NOUS AVONS DEMANDÉ SA PROTECTION »

Nous avons demandé Sa protection et Son aide et nous nous sommes abandonnés à Lui complètement.

LES ALCOOLIQUES ANONYMES, P. 66

J'étais incapable de diriger ma vie tout seul. J'avais essayé et échoué. Ma « faute ultime » m'avait fait tomber au niveau le plus bas et, ayant perdu la faculté même de fonctionner, j'ai dû admettre que j'avais désespérément besoin d'aide. J'ai cessé de me battre et j'ai capitulé devant Dieu.

À partir de ce moment, j'ai commencé à grandir ! Dieu m'a pardonné. Il fallait bien que ce soit une Puissance supérieure qui me sauve car les médecins doutaient de mes chances de survie. Je me suis pardonné à moi-même et aujourd'hui, je jouis d'une liberté que je n'avais jamais connue auparavant. J'ai ouvert à Dieu mon cœur et mon esprit. Plus j'en apprends, moins j'en sais – ce qui me rend humble – mais je désire sincèrement continuer à progresser. Je connais la sérénité mais seulement quand je confie ma vie à Dieu. Tant que je suis honnête avec moi-même et demande son aide, je mène une existence qui en vaut la peine.

Un jour à la fois, je m'efforce de vivre sa volonté à mon égard, sobrement. Je remercie Dieu de pouvoir choisir de ne pas boire aujourd'hui. La vie est belle !

9 SEPTEMBRE

OUVRIR DE NOUVELLES PORTES

Ces promesses se réalisent parmi nous parfois rapidement, parfois lentement.

LES ALCOOLIQUES ANONYMES, P. 95

Les « promesses » dont il est question dans cette citation se réalisent peu à peu pour moi. Ce qui m'a redonné espoir a été la mise en pratique de la Neuvième Étape. Elle m'a permis de me fixer des objectifs pour mon propre rétablissement.

Les vieilles habitudes et les anciens comportements ont la vie dure. La pratique de la Neuvième Étape me permet de tourner la page sur mon passé de buveur et de découvrir de nouvelles perspectives pour l'alcoolique abstinent que je suis. Il est essentiel pour moi de réparer directement mes torts. Restaurer mes anciennes relations et corriger mes vieux comportements facilitent une existence sobre.

Même si j'ai quelques années d'abstinence derrière moi, il y a des moments où de vieilles histoires du passé requièrent mon attention, et la Neuvième Étape est là pour ça ; il suffit que je m'en serve.

LE RÉTABLISSEMENT PAR PROCURATION ?

[Les promesses] se matérialisent toujours si nous travaillons dans ce sens.

LES ALCOOLIQUES ANONYMES, P. 95

Parfois je me dis : « Réparer tous ses torts, c'est aller un peu loin ! Personne ne devrait avoir à s'humilier ainsi ! » Pourtant, c'est précisément dans la mesure où je vis cette expérience d'humilité que je me rapproche du « soleil de l'esprit ». Les AA sont mon seul espoir si je veux poursuivre ma convalescence et obtenir une vie pleine de bonheur, d'amitié et d'harmonie.

RÉPARER SES TORTS

Par-dessus tout, nous devrions faire l'effort de nous assurer, au-delà de tout doute, que nous n'obéissons pas à la peur en retardant notre démarche.

LES DOUZE ÉTAPES ET LES DOUZE TRADITIONS, P. 99

Le courage, la victoire sur la peur sont des cadeaux de mon rétablissement. Ils me rendent capable de demander de l'aide et d'aller de l'avant dans la réparation de mes torts, avec dignité et humilité. Réparer mes torts demande peut-être un certain degré d'honnêteté mais si j'en manque, je peux compter sur l'aide de Dieu et la sagesse des autres pour rentrer en moi-même et trouver la for-ce d'agir. On peut accepter ou ne pas accepter mes excuses, mais après les avoir faites, je peux marcher en toute liberté sachant qu'aujourd'hui, je suis responsable.

JE SUIS RESPONSABLE

Être disposés à assumer toutes les conséquences de nos actes passés, et à prendre en même temps la responsabilité du bien-être des autres, tel est le véritable esprit de la Neuvième Étape.

LES DOUZE ÉTAPES ET LES DOUZE TRADITIONS, P. 99

En me rétablissant et avec l'aide des Alcooliques anonymes, je découvre que ce qui me fait le plus peur, c'est ma liberté. Cette attitude vient de ma tendance à reculer devant la moindre responsabilité ; je la refuse, je l'ignore, je blâme les autres, je fuis. Puis un jour, je suis capable de voir, d'admettre et d'accepter. La liberté, la guérison et le rétablissement se trouvent pour moi, dans la capacité de voir, d'admettre et d'accepter. J'apprends à dire : « Oui, je suis responsable ». Quand j'arrive à prononcer ces paroles en toute honnêteté, je suis libre.

RÉPARER LES DOMMAGES

Un bon jugement, le souci de trouver le moment propice, du courage et de la prudence, telles sont les dispositions requises pour aborder la Neuvième Étape.

LES DOUZE ÉTAPES ET LES DOUZE TRADITIONS, P. 95

On peut faire amende honorable de deux façons. La première, c'est de réparer directement les dommages. Lorsque je brise la clôture de mon voisin, je dois la réparer et c'est ce que signifie les mots « réparer directement ». La seconde façon, c'est de changer mon comportement. Si j'ai lésé quelqu'un, je dois chaque jour m'efforcer de ne pas continuer à nuire aux autres. En « réparant » mon comportement, je demande indirectement pardon. Laquelle des deux approches est la meilleure ? La seule bonne est de pratiquer les deux méthodes, à condition de ne pas causer d'autres torts en agissant ainsi. Lorsqu'un tort a été causé, je le répare par ma conduite. En agissant ainsi, je suis certain de faire honnêtement amende honorable.

LA PAIX D'ESPRIT

Ne faut-il pas soumettre le problème à notre parrain ou à notre conseiller spirituel, et demander avec ferveur l'aide et l'inspiration de Dieu, quitte entre-temps à prendre la résolution de faire à n'importe quel prix notre devoir lorsque nous le connaîtrons clairement ?

LES DOUZE ÉTAPES ET LES DOUZE TRADITIONS, P. 99

Ma foi en une Puissance supérieure joue un rôle essentiel dans ma mise en pratique de la Neuvième Étape mais d'autres éléments interviennent aussi : le pardon, le choix du moment opportun et de bons motifs. Ma bonne volonté à faire cette Étape me fournit l'occasion de grandir et de m'engager dans de nouvelles relations, fondées sur l'honnêteté, avec les personnes que j'ai lésées. Prendre mes responsabilités dans ce domaine me rapproche des principes spirituels du programme des AA : l'amour et le service. Il s'ensuivra sûrement la paix d'esprit, la sérénité et une foi accrue.

LA VIE EST MEILLEURE

Oui, [il y a autre chose] et même plus que cela encore : c'est le mouvement des Alcooliques anonymes... Enfin, vous trouverez un sens à la vie.

LES ALCOOLIQUES ANONYMES, P. 171

La vie est meilleure sans alcool. Les AA et la présence d'une Puissance supérieure me gardent abstinent, mais grâce à Dieu il y a mieux encore : le service fait maintenant partie de ma vie. Le programme des AA m'aide à mieux comprendre ce qu'est le mouvement des Alcooliques anonymes et ce qu'il fait. Mais surtout, je vois clairement qui je suis : un alcoolique qui a constamment besoin d'appliquer le programme pour pouvoir vivre la vie dont l'a gratifié sa Puissance supérieure.

ENSEMBLE, NOUS TENONS OU NOUS TOMBONS

... Aucune association d'hommes et de femmes n'a jamais éprouvé un besoin aussi pressant d'efficacité soutenue et d'unité permanente. En tant qu'alcooliques, nous nous rendons compte que nous devons travailler ensemble et rester unis, sans quoi nous finirons presque tous par mourir seuls.

LES ALCOOLIQUES ANONYMES, P. 625

Les Douze Traditions, comme les Douze Étapes, sont rédigées dans un certain ordre pour une raison bien précise. La Première Étape et la Première Tradition tentent de m'insuffler assez d'humilité pour que je puisse avoir une chance de survivre. Elles constituent les fondations sur lesquelles sont érigées les Étapes et les Traditions suivantes. Il s'agit d'abaisser mon ego pour pouvoir progresser, comme individu, au fil des Étapes et, comme membre d'un groupe, selon les Traditions. La pleine acceptation de la Première Tradition m'aide à mettre de côté mes ambitions personnelles, mes peurs et ma colère quand elles entrent en conflit avec le bien-être commun, et me permet ainsi de travailler librement avec les autres à notre survie mutuelle. Sans la Première Tradition, j'ai peu de chances de maintenir l'unité nécessaire à un travail commun efficace et je risque de perdre les autres Traditions, le mouvement et la vie.

LA VRAIE LIBERTÉ

Si, avec la grâce de Dieu, nous acceptions calmement notre sort, nous pouvions vivre en paix avec nous-mêmes et démontrer à ceux qui étaient encore tourmentés par les mêmes peurs qu'il était possible de les surmonter. Nous avons constaté qu'il est plus important d'être libérés de nos craintes que d'être à l'abri du besoin.

LES DOUZE ÉTAPES ET LES DOUZE TRADITIONS, P. 139

Les valeurs matérielles ont longtemps dirigé ma vie à l'époque où je buvais. Je croyais que tous les biens matériels que je possédais me procureraient le bonheur ; pourtant, après les avoir acquis, j'avais encore l'impression d'être totalement démuni. En entrant chez les AA, j'ai trouvé une nouvelle manière de vivre. Ayant appris à faire confiance aux autres, j'ai commencé à croire en une Puissance supérieure. Ma foi m'a libéré de l'esclavage de l'ego. En remplaçant les biens matériels par les dons de l'esprit, j'ai retrouvé la maîtrise de ma vie. J'ai décidé alors de partager mon expérience avec d'autres alcooliques.

GUÉRI PAR L'AMOUR

Toute notre précieuse philosophie d'autosuffisance devait être écartée. Cela ne s'est pas fait par notre bonne vieille volonté ; il s'agissait plutôt d'être disposés à accepter ces nouvelles réalités. Nous n'avons pas fui, ni combattu. Mais nous avons bel et bien accepté et nous avons été libérés.

BEST OF THE GRAPEVINE, VOL. 1, P. 198

Je peux me libérer de l'esclavage de mon vieil ego. Après un certain temps, je peux reconnaître en moi le bien et y croire. Je vois comment l'amour et la protection de ma Puissance supérieure m'ont permis de me rétablir. Ma Puissance supérieure devient une source d'amour et de force qui accomplit en moi un miracle permanent. Je suis abstinent... et reconnaissant.

ACCEPTATION

Nous avons admis que nous ne pouvions vaincre l'alcool avec les seules ressources qui nous restaient et nous avons dû accepter que la dépendance envers une Puissance supérieure (ne serait-ce que notre groupe des AA) puisse accomplir cette tâche jusque-là impossible. Dès que nous avons pu accepter ces deux faits sans réserve, nous avons commencé à nous libérer de l'obsession de boire.

RÉFLEXIONS DE BILL, P. 109

J'ai été libre le jour où j'ai accepté de confier ma volonté et ma vie à ma Puissance supérieure, que j'appelle Dieu. La sérénité s'est infiltrée dans le chaos de ma vie le jour où j'ai accepté que ce qui m'arrivait faisait partie de la vie, et que Dieu m'aiderait à surmonter ces difficultés, et plus encore. Depuis, c'est ce qu'il n'a cessé de faire ! Le jour où j'accepte les situations telles qu'elles sont et non comme je voudrais qu'elles soient, je commence à croître et à connaître la sérénité et la paix d'esprit.

MON GUIDE

Assurez-vous que vos relations avec Dieu sont bonnes et de grandes choses se produiront pour vous et pour un nombre incalculable d'autres personnes. Pour nous, c'est cela, la Grande Vérité.

LES ALCOOLIQUES ANONYMES, P. 185

Avoir de bonnes relations avec Dieu me semblait impossible. Mon passé m'avait rempli de culpabilité et de remords et je me demandais bien comment pourrait fonctionner cette « histoire de Dieu ». Les AA m'ont dit de confier ma volonté et ma vie à Dieu, tel que je le conçois. N'ayant pas d'autre choix, je me suis mis à genoux et j'ai crié : « Mon Dieu, je ne suis pas capable. Je t'en prie, aide-moi » C'est seulement au moment où j'ai admis mon impuissance qu'une petite lueur m'a effleuré l'âme et j'ai commencé à accepter de laisser Dieu se charger de ma vie. Avec Dieu comme guide, de grandes choses se sont produites et j'ai pu amorcer une vie sobre.

LA DERNIÈRE PROMESSE

Soudain, nous constaterons que Dieu fait pour nous ce que nous ne pouvions pas faire pour nous-mêmes.

LES ALCOOLIQUES ANONYMES, P. 95

Cette dernière « promesse » du Gros Livre se réalise pour tous dès le premier jour d'abstinence. Dieu m'a gardé abstinent ce jour-là, et tous les autres jours depuis, parce que je l'ai laissé diriger ma vie. Il me donne la force, le courage et les lumières dont j'ai besoin pour prendre mes responsabilités dans la vie ; c'est pourquoi, je peux tendre la main aux autres et les aider à devenir abstinents et à grandir. Dieu se manifeste par moi et transmet par mon intermédiaire sa parole, sa pensée et son action. Il œuvre à l'intérieur de mon âme pendant que je m'affaire dans le monde extérieur car il ne fera pas pour moi ce que je peux faire par moi-même. Je dois être prêt à faire son travail afin qu'il puisse œuvrer à travers moi.

UN BON FILON

Nous étions comme le prospecteur affamé qui, se serrant la ceinture devant ses dernières réserves de nourriture, finit par trouver un filon d'or. Notre joie d'avoir échappé à une vie de frustrations était sans borne. C'est comme si papa avait découvert quelque chose d'encore mieux que l'or. Pendant un certain temps, il sera tenté de chérir ce trésor et de le garder pour lui seul. Il ne verra pas tout de suite qu'il a, en fait, déterré le petit bout d'une veine sans fin et que ce filon ne rapportera des dividendes que s'il continue de l'exploiter le restant de ses jours en cédant tout le produit aux autres.

LES ALCOOLIQUES ANONYMES, P. 145-146

Quand je parle avec un nouveau membre des AA, mon passé me saute aux yeux. Je vois la douleur dans ses yeux pleins d'espoir, je lui tends la main et le miracle se produit : c'est moi qui suis guéri. Mes problèmes s'évanouissent dès que je m'ouvre à l'âme qui souffre.

J'ÉTAIS UNE EXCEPTION

[Bill W.] me dit, doucement et simplement : « Crois-tu que tu es des nôtres ? »

ALCOHOLICS ANONYMOUS, 3E ÉDITION, P. 413

À l'époque où je buvais, je me croyais une exception. Je croyais que j'étais au-dessus des obligations courantes et que je pouvais en être dispensé. Je ne me rendais pas compte que cette attitude me donnait en contrepartie l'impression de ne jamais avoir de place nulle part. À mes débuts dans le mouvement, je ne m'identifiais aux autres que par mon alcoolisme. Quel merveilleux réveil ce fut pour moi de m'apercevoir que si des êtres humains faisaient de leur mieux, je ne faisais pas autre chose moi-même ! Toutes les peines, la confusion, les joies qu'ils ressentent n'ont rien d'exceptionnel, mais font également partie de ma vie, comme de celle de tout le monde.

VIGILANCE

Ainsi l'énoncé : Alcoolique un jour, alcoolique toujours se vérifie-t-il constamment. Lorsque, après une période d'abstinence, nous retouchons à l'alcool, nous retombons en peu de temps aussi bas qu'avant. Si nous voulons renoncer à boire, nous devons le faire sans aucune réserve, sans caresser l'espoir subtil d'être un jour immunisé contre l'alcool.

LES ALCOOLIQUES ANONYMES, P. 37

Aujourd'hui, je suis alcoolique. Demain, je le serai encore. L'alcoolisme est en moi pour toujours. Je ne dois jamais oublier ce que je suis. L'alcool me tuera sûrement si je néglige de reconnaître et d'accepter ma maladie, jour après jour. Il ne s'agit pas d'un jeu où une perte n'est qu'un échec temporaire. Il s'agit d'une maladie – ma maladie – pour laquelle il n'existe aucun remède, si ce n'est l'acceptation quotidienne et la vigilance.

L'IMPORTANT D'ABORD

Certains d'entre nous ont dû encaisser de rudes coups avant de comprendre ceci : avec ou sans emploi, avec ou sans conjoint, nous ne cessons tout simplement pas de boire tant que nous faisons passer notre dépendance des autres avant notre dépendance envers Dieu.

LES ALCOOLIQUES ANONYMES, P. 111

Avant mon arrivée chez les AA, j'avais toujours une excuse pour boire : « Elle a dit... », « Il a dit... » « J'ai été mis à la porte, hier », « J'ai obtenu un emploi merveilleux, aujourd'hui ». Ma vie n'irait bien dans aucun domaine si je me remettais à boire. Depuis que je suis abstinent, elle s'améliore de jour en jour. Je dois constamment me rappeler de ne pas boire, de faire confiance à Dieu, de demeurer actif dans le mouvement. Aujourd'hui, est-ce que je mets quoi que ce soit au-dessus de ma sobriété, de Dieu ou des AA ?

NOS ENFANTS

L'alcoolique aura peut-être du mal à rétablir des relations amicales avec ses enfants... Mais ils comprendront à la longue que leur père est un homme nouveau et à leur façon, ils le lui feront savoir... À partir de ce moment-là, le progrès sera rapide. Ces retrouvailles donnent souvent de merveilleux résultats.

LES ALCOOLIQUES ANONYMES, P. 152

En progressant vers la sobriété, j'ai reçu un cadeau qui ne s'achète pas. J'ai reçu une carte de mon fils au collège, qui disait : « Papa, tu ne peux t'imaginer comme je suis content que tout aille bien. Joyeux anniversaire ! Je t'aime ! » Il m'avait déjà dit qu'il m'aimait, auparavant. C'était pendant les Fêtes, l'année précédente ; il m'avait dit, en pleurant : « Papa, je t'aime ! Ne vois-tu pas ce que tu es en train de te faire à toi-même ? » Je ne le voyais pas. Étranglé par l'émotion, j'avais pleuré, alors. Cette fois-ci, en recevant cette carte, j'ai versé des larmes de joie, plutôt que de désespoir.

SANS RÉSERVE

Quand il déborde de gratitude, notre cœur bat sûrement d'un amour altruiste...

RÉFLEXIONS DE BILL, P. 37

S'il arrive que mes succès au service des autres me montent à la tête, je dois réfléchir à ce qui provoque ma pédanterie. Les choses qui m'ont été données dans la joie et dans l'amour doivent être transmises sans réserve et sans condition. En grandissant, je me rends compte que, peu importe combien je donne avec amour, il m'est donné beaucoup plus en esprit.

L'AMOUR SANS RESTRICTION

L'expérience démontre que rien n'immunise mieux contre l'alcool que de travailler intensivement auprès d'autres alcooliques.

LES ALCOOLIQUES ANONYMES, P. 101

Le parrainage me réservait deux surprises. Premièrement, les personnes que j'aidais m'aimaient. Ce que j'avais pris pour de la gratitude ressemblait plutôt à de l'amour. Ces personnes souhaitaient mon bonheur, ma croissance et le maintien de ma sobriété. Le fait de connaître leurs sentiments à mon égard m'a empêché de boire plus d'une fois. Deuxièmement, je me suis aperçu que j'étais capable d'aimer les autres de manière responsable, avec respect et avec le souci réel de les voir progresser. Auparavant, je croyais que ma capacité de me préoccuper sincèrement du bien-être d'autrui s'était atrophiée faute d'être utilisée assez souvent. Découvrir que je suis capable d'un amour désintéressé et confiant constitue l'un des plus grands cadeaux que j'aie reçus du mouvement. La reconnaissance pour ce cadeau m'a souvent gardé abstinent.

EXACTEMENT PAREILS

Le contact fréquent avec les nouveaux et les autres, c'est ce qui illumine notre vie.

LES ALCOOLIQUES ANONYMES, P. 101

Un homme est arrivé soûl à la réunion, a interrompu le conférencier, a enlevé sa chemise, s'est rendu à la cafetière et en est revenu en titubant, a demandé la parole, a finalement traité d'un nom grossier le secrétaire du groupe et s'en est allé. Je suis content qu'il soit venu car il m'a rappelé une fois de plus ce que j'ai été, ce que je suis toujours et ce que je pourrais être encore. Je n'ai pas besoin d'être ivre pour désirer être une exception et le centre d'attraction. J'ai souvent cru qu'on me traitait mal et j'ai réagi en me montrant grossier quand, en fait, on me traitait simplement comme un être humain parmi d'autres. Plus cet homme essayait de se distinguer, plus je me rendais compte que nous étions pareils, lui et moi.

LE CERCLE ET LE TRIANGLE

Le cercle représente l'ensemble de tous les AA dans le monde et le triangle symbolise les Trois Legs des AA, le Rétablissement, l'Unité et le Service. C'est à l'intérieur de ce merveilleux nouvel univers que nous avons trouvé la libération de notre obsession fatale..

LE MOUVEMENT DES AA DEVIENT ADULTE, P. 145

Tôt après mon entrée dans le mouvement, j'ai œuvré dans les services et j'ai trouvé très appropriée l'explication du logo de notre association. Il y a d'abord le cercle d'amour et de service, et à l'intérieur le triangle aux trois côtés égaux ; la base représente le rétablissement et les Douze Étapes ; les deux autres côtés symbolisent l'unité et le service. En progressant dans le mouvement, je me suis vite identifié à ce symbole. Je suis le cercle, et les trois côtés du triangle représentent trois aspects de ma personnalité : le physique, l'équilibre émotif, et la spiritualité, cette dernière formant la base du triangle. Ensemble, ces trois aspects de ma personnalité se traduisent par une vie sobre et heureuse.

DE PEUR DE DEVENIR VANITEUX

Il est facile de commencer à négliger le programme spirituel et de se reposer sur ses lauriers. Si nous le faisons, nous nous préparons de sérieux ennuis, car l'alcool est un ennemi subtil.

LES ALCOOLIQUES ANONYMES, P. 96

Quand je souffre, je me tiens d'instinct près des amis que je me suis faits dans le mouvement. Les solutions que contiennent les Douze Étapes me soulagent de ma souffrance. Par contre, quand je me sens bien et que tout va bien, je deviens facilement vaniteux. Plus simplement, par paresse, je me tourne vers le problème plutôt que vers la solution. Il faut donc passer à l'action, faire mon inventaire : savoir où j'en suis et où je m'en vais. Un inventaire quotidien m'indique ce que je dois changer pour retrouver mon équilibre spirituel. Avouer à Dieu et à un autre être humain ce que je découvre en moi m'aide à rester honnête et humble.

« LA MINUTE DE VÉRITÉ »

En travaillant les neuf premières Étapes nous nous préparons à l'aventure d'une vie nouvelle. Quand nous entreprenons la Dixième Étape, nous commençons à mettre en pratique le mode de vie des AA, jour après jour, par beau ou mauvais temps. Mais voici venue la minute de vérité : pouvons-nous demeurer abstinents, garder notre équilibre émotif et, en toutes circonstances, mener une vie qui sert à quelque chose ?

LES DOUZE ÉTAPES ET LES DOUZE TRADITIONS, P. 100

Je sais que les promesses se réalisent dans ma vie, mais je veux conserver ce que j'ai acquis et le développer. Pour cela, je pratique quotidiennement la Dixième Étape. Elle m'apprend à reconnaître que lorsque quelqu'un me perturbe, c'est que quelque chose ne va pas en moi. L'autre a peut-être tort également, mais je ne peux m'occuper que de mes propres émotions. Si je suis blessé ou contrarié, je dois toujours en rechercher la cause en moi, puis admettre et corriger mes erreurs. Cela n'est pas facile mais tant que je progresse spirituellement, je peux considérer ces efforts comme un travail bien fait. J'ai découvert que la souffrance est une amie ; elle m'indique que ça ne tourne pas rond au niveau de mes émotions, exactement comme la douleur physique est un indice que quelque chose ne va pas dans mon corps. En posant les gestes appropriés à l'aide des Douze Étapes, la souffrance disparaît graduellement.

LE CALME APRÈS LA TEMPÊTE

Parlant d'expérience, quelqu'un un jour faisait observer que la souffrance est le point de départ de tout progrès spirituel. Comme il est facile pour nous, les AA, de dire que c'est vrai !

LES DOUZE ÉTAPES ET LES DOUZE TRADITIONS, P. 106

Quand mes émotions ressemblent à des montagnes russes, je dois me rappeler que la croissance est souvent douloureuse. Mon cheminement dans le programme des AA m'a enseigné que je dois subir un changement intérieur, même si cela est douloureux, afin de transformer un jour mon égoïsme en générosité. Pour connaître la sérénité, je dois franchir l'*étape* des tourments émotifs et des malaises qui les accompagnent, et être reconnaissant de mon progrès spirituel.

TAILLER ET ÉCLAIRCIR

En effet, nous savons qu'il nous a fallu connaître la souffrance de l'alcoolisme avant la sobriété, et le bouleversement émotif avant la sérénité.

LES DOUZE ÉTAPES ET LES DOUZE TRADITIONS, P. 106-107

J'adore passer du temps dans mon jardin à soigner et à éclaircir mes plates-bandes. Un jour que je m'affairais à tailler mes massifs de fleurs, une voisine s'est arrêtée et m'a dit : « De si belles plantes, quel dommage de les tailler ainsi ! » J'ai répondu : « Je sais ce que vous ressentez, mais il faut enlever les tiges en trop pour que les plants se renforcent et soient en meilleure santé. » Par la suite, je me suis dit que mes plantes souffraient peut-être, mais je sais que cela fait partie du plan divin et je peux constater les magnifiques résultats. Cela m'a rappelé le programme des AA et la souffrance que nous cause notre croissance. Je demande à Dieu de bien me tailler, le moment venu, afin que je puisse croître.

LE BAGAGE DE LA VEILLE

Les sages ont toujours su que personne ne peut parvenir à grand-chose dans la vie sans acquérir l'habitude régulière de l'examen personnel, sans en venir à l'aveu et à l'acceptation de ce que révèle cet examen, et sans chercher avec patience et persévérance à corriger ce qui ne va pas.

LES DOUZE ÉTAPES ET LES DOUZE TRADITIONS, P. 100

Ma charge quotidienne est bien assez lourde sans que j'aie à traîner aussi mon bagage de la veille. Je dois donc faire le bilan de chaque journée si je veux passer à travers demain. Je m'interroge sur les erreurs commises et sur la façon de les éviter à l'avenir. Ai-je blessé quelqu'un ? Ai-je aidé quelqu'un ? Pourquoi ? Inévitablement, certaines de mes actions d'aujourd'hui auront des répercussions sur ma journée de demain ; mais la plupart resteront derrière moi si je fais un inventaire quotidien honnête.

FACE À SOI-MÊME

... et la peur ajoute : « Tu n'oseras pas regarder ! »

LES DOUZE ÉTAPES ET LES DOUZE TRADITIONS, P. 58

Combien de fois, quand je buvais, n'ai-je pas éludé une tâche simplement parce qu'elle m'apparaissait énorme ! Est-il surprenant dans ces conditions, même si je suis abstinent depuis un certain temps, que je réagisse de la même manière face à une tâche qui me semble gigantesque : procéder courageusement à un inventaire minutieux de moi-même ? Pourtant, je découvre au bout du compte, une fois l'inventaire terminé, que je m'imaginais cette tâche plus énorme qu'elle n'est en réalité. La peur de me retrouver face à moi-même me paralysait ; tant que je n'ai pas accepté de prendre mon crayon, j'ai bloqué ma croissance sans véritable raison.

SURVEILLANCE QUOTIDIENNE

Nous avons poursuivi notre inventaire personnel...

LES DOUZE ÉTAPES ET LES DOUZE TRADITIONS, P. 100

Le principe spirituel qui sous-tend la Dixième Étape – « tout malaise, quelle qu'en soit la cause, est l'indice qu'en *nous-mêmes* quelque chose ne va pas » – ne souffre aucune exception. Peu importe si les autres me semblent déraisonnables, c'est à moi qu'il revient de ne pas réagir négativement. Peu importe ce qui se passe autour de moi, je garde toujours le privilège et la responsabilité de choisir ma propre réaction. C'est moi qui crée ma propre réalité.

Dans mon inventaire quotidien, je sais que je dois cesser de juger les autres. Quand je le fais, il est probable que je me juge moi-même. La personne qui me perturbe le plus est celle qui a le plus à m'enseigner. J'ai beaucoup à apprendre d'elle et je devrais l'en remercier dans mon cœur.

L'INVENTAIRE DE CHAQUE JOUR

... [Nous avons] promptement admis nos torts dès que nous nous en sommes aperçus.

LES ALCOOLIQUES ANONYMES, P. 67

Je commençais à aborder ma nouvelle vie sans alcool avec un enthousiasme inhabituel chez moi. De nouveaux amis surgissaient et je raccommodais d'anciennes amitiés bafouées. La vie était passionnante. Je m'étais même mis à aimer mon travail, allant jusqu'à rédiger un rapport sur le service médiocre offert à certains clients. Un jour, un confrère de travail m'a appris que le patron était fort mécontent à cause d'un rapport qui avait été transmis sans son approbation et qui l'avait mis dans ses petits souliers face à nos supérieurs. Je savais que j'étais la cause de tout cela et je commençai à me sentir responsable des problèmes de mon patron. En tentant de me rassurer, mon confrère me dit que je n'avais pas à m'excuser, mais j'étais convaincu qu'il me fallait faire quelque chose, peu importe la tournure que prendraient les événements. Quand j'ai confessé à mon patron que j'étais la cause de ses difficultés, il a paru sur-pris. Néanmoins, notre rencontre a pris une tournure inattendue, et nous sommes tombés d'accord tous les deux pour entretenir une collaboration étroite et efficace à l'avenir.

UN PRINCIPE SPIRITUEL

Dans la vie spirituelle, il y a un principe voulant que tout malaise, quelle qu'en soit la cause, soit l'indice qu'en nous-mêmes, quelque chose ne va pas.

LES DOUZE ÉTAPES ET LES DOUZE TRADITIONS, P. 102

Je n'avais jamais vraiment bien compris le principe spirituel de la Dixième Étape, jusqu'au jour où il m'est arrivé l'expérience suivante. J'étais en train de lire dans ma chambre aux petites heures du matin, quand tout à coup j'ai entendu aboyer mes chiens dans la cour. Comme les voisins n'apprécient pas ce genre de tumulte, j'ai aussitôt fait rentrer les chiens, partagé entre la colère, la honte et la crainte d'être blâmé. Quelques semaines plus tard, la même chose s'est produite. Cette fois, comme j'étais en paix avec moi-même, j'ai pu accepter la situation en me disant qu'il est normal que des chiens jappent, et je les ai fait rentrer avec calme. Ces deux incidents m'ont appris que si je réagis de manière différente à deux événements presque identiques, ce n'est pas l'événement qui est important mais ma condition spirituelle. Les émotions viennent de l'intérieur et non des circonstances extérieures. Quand je suis en forme spirituellement, je réagis positivement.

GUÉRIS-TOI, TOI-MÊME

Si quelqu'un nous offense et que nous en sommes aigris, là aussi, nous sommes en faute.

LES DOUZE ÉTAPES ET LES DOUZE TRADITIONS, P. 102

Quelle liberté j'ai ressentie quand on m'a fait lire ce passage ! J'ai vu tout à coup qu'il m'était possible d'agir sur ma colère ; plutôt que d'essayer de corriger *l'autre*, je pouvais me corriger, moi. Je crois que ce principe ne souffre aucune exception. Quand je suis furieux, ma colère est toujours égocentrique. Je dois me rappeler que je ne suis qu'un être humain et que je fais de mon mieux, même si c'est parfois très peu. Je prie Dieu pour qu'il me délivre de ma colère et fasse de moi un être libre.

MAÎTRISE DE SOI

Notre premier objectif sera d'acquérir de la maîtrise de soi.

LES DOUZE ÉTAPES ET LES DOUZE TRADITIONS, P. 103

En me rendant au travail le matin, j'en profite pour faire mon examen de conscience. Un jour, durant le trajet, j'ai commencé à passer en revue mes progrès, depuis que je suis abstinent, et je n'ai pas aimé ce que j'ai constaté. J'espérais que ces pensées troublantes s'évanouiraient au travail, mais les contrariétés se sont accumulées ce jour-là, et mon malaise n'a fait que croître et ma tension intérieure, monter.

Je me suis assis à une table en retrait à la cafétéria, et je me suis demandé comment tirer profit du reste de la journée. Autrefois, quand ça n'allait pas, je cherchais instinctivement à réagir. Mais pendant le peu de temps que j'avais passé chez les AA, j'avais appris à prendre du recul et à m'examiner moi-même. Je me suis aperçu que, même si je n'étais pas comme je voulais être, j'avais appris à ne pas réagir comme autrefois. Mes anciens comportements n'avaient réussi qu'à causer souffrances et chagrin, chez moi et chez les autres. Je suis retourné à mon poste, décidé à faire une bonne journée de travail et remerciant Dieu de m'avoir donné une occasion de progresser ce jour-là.

CONTENIR L'IMPÉTUOSITÉ

Lorsque nous parlons trop vite ou sans réfléchir, nous perdons sur-le-champ toute chance d'être équitables et tolérants.

LES DOUZE ÉTAPES ET LES DOUZE TRADITIONS, P. 104

Chaque jour, je dois me fixer comme objectif d'être équitable et tolérant. Je demande à Dieu, tel que je le conçois, de m'aider à être affectueux et patient avec mes proches et avec tous les gens que je côtoie. Je lui demande de me guider pour que je puisse surveiller mes paroles quand je suis énervé ; je prends le temps de réfléchir au bouleversement émotif que pourraient provoquer mes paroles, non seulement chez les autres, mais aussi en moi. La prière, la méditation, l'examen de conscience me permettent d'avoir une attitude réfléchie et une action positive.

UN INVENTAIRE CONSTANT

Nous devons toujours être vigilants pour éviter l'égoïsme, la malhonnêteté, le ressentiment et la peur. Lorsque ces tendances veulent se manifester, nous demandons à Dieu de nous en délivrer tout de suite. Nous en discutons immédiatement avec quelqu'un et présentons nos excuses le plus vite possible si nous avons causé du tort à quiconque. Puis, résolument, nous pensons à une personne que nous pourrions aller aider.

LES ALCOOLIQUES ANONYMES, P. 95

L'aveu immédiat de pensées ou d'actions fautives est une chose difficile pour la plupart des êtres humains. Mais pour des alcooliques en rétablissement comme moi, ce qui rend cette tâche difficile, c'est la propension à l'égocentrisme, à la peur et à l'orgueil. Le programme des AA m'offre une liberté de plus en plus grande, à condition que par un examen constant de moi-même, j'admette mes erreurs et j'en accepte la responsabilité. Je peux alors avoir une compréhension plus grande et plus profonde de l'humilité. Mon empressement à admettre que je suis dans l'erreur m'aide à grandir et à progresser, et me permet de devenir compréhensif et bienveillant envers les autres.

UN PROGRAMME DE VIE

Avant de nous mettre au lit le soir, nous passons notre journée en revue de façon constructive... À notre réveil, nous pensons au vingt-quatre heure devant nous... Nous demandons d'abord à Dieu de nous guider dans nos pensées et surtout de libérer notre esprit de l'apitoiement comme de tout mobile malhonnête ou égoïste.

LES ALCOOLIQUES ANONYMES, P. 97-98

Je manquais de sérénité. Me sentant dépassé par la tâche à accomplir, je prenais toujours plus de retard, peu importe les efforts que j'y mettais. Je m'en faisais pour ce que je n'avais pas réussi à faire la veille et la crainte des échéances du lendemain me privait du calme dont j'avais besoin pour passer une journée efficace. Avant d'entreprendre les Dixième et Onzième Étapes, j'ai commencé à lire des passages comme celui cité plus haut. J'ai essayé de me concentrer sur la volonté de Dieu, plutôt que sur mes problèmes, et de lui faire confiance pour diriger ma vie. Cela a marché ! Lentement peut-être, mais cela a marché.

MON INVENTAIRE, PAS CELUI DES AUTRES

Nous prenons... un certain plaisir à répandre des commérages envenimés de colère, ce qui revient à commettre le meurtre sous la forme élégante de l'assassinat des réputations. Ici, nous ne cherchons pas à aider ceux que nous critiquons mais plutôt à faire valoir nos propres mérites.

LES DOUZE ÉTAPES ET LES DOUZE TRADITIONS, P. 77-78

Il m'arrive parfois de ne pas me rendre compte avant la fin de la journée, au moment de l'inventaire quotidien, que j'ai bavardé dans le dos de quelqu'un et que ces commérages ternissent ma journée. Comment ai-je pu dire de telles choses ? Ces ragots s'insinuent dans la conversation pendant les pauses café ou le repas du midi avec mes associés, ou encore le soir, quand, fatigué de ma journée, je me crois justifié de me faire valoir aux dépens de quelqu'un d'autre.

Les défauts tels que le commérage s'infiltrent dans ma vie quand j'oublie la pratique constante des Douze Étapes de rétablissement. Je dois me rappeler que si j'ai la chance d'être unique, il en va de même de chaque être humain qui croise ma route durant le voyage de la vie. Aujourd'hui, le seul inventaire que j'ai à faire est le mien. Je vais laisser au Juge suprême – la Divine Providence – le soin de juger les autres.

JOUR APRÈS JOUR

Cela ne se fait pas en un jour, mais doit durer toute la vie.

LES ALCOOLIQUES ANONYMES, P. 95

Les premières années que j'étais dans les AA, je croyais que la Dixième Étape me suggérait d'examiner périodiquement mon comportement et mes réactions. Si quelque chose n'allait pas, je devais l'admettre ; si des excuses s'imposaient, je devais m'exécuter. Après quelques années d'abstinence, j'ai senti que je devais faire mon examen de conscience plus souvent. Par contre, il m'a fallu plusieurs autres années d'abstinence pour comprendre toute la signification de la Dixième Étape, et plus particulièrement du mot « poursuivi ». Ce mot ne veut pas dire occasionnellement ou fréquemment, mais *jour après jour*.

MISE AU POINT QUOTIDIENNE

Chaque jour, le souci de la volonté de Dieu doit être présent dans notre esprit et se manifester dans toute notre conduite.

LES ALCOOLIQUES ANONYMES, P. 96

Comment conserver ma condition spirituelle ? Pour moi, c'est très simple ; je demande quotidiennement à ma Puissance supérieure de m'accorder le don de la sobriété, pour la journée ! J'ai parlé avec beaucoup d'alcooliques qui ont recommencé à boire et je leur ai demandé : « Avais-tu demandé la sobriété, le jour où tu as pris ton premier verre ? » Aucun d'entre eux n'a répondu oui. En mettant en pratique la Dixième Étape et en tâchant, chaque jour, de garder ma maison propre, j'ai la certitude que si je demande un sursis quotidien, il me sera accordé.

L'ESPRIT OUVERT

L'humilité authentique et l'ouverture d'esprit peuvent nous conduire à la foi...

LES DOUZE ÉTAPES ET LES DOUZE TRADITIONS, P. 39

Ma mentalité d'alcoolique m'amenait à penser que je pouvais contrôler ma façon de boire, mais j'en étais incapable. Chez les AA, je me suis rendu compte que Dieu s'adressait à moi par l'intermédiaire de mon groupe. J'avais l'esprit juste assez ouvert pour être conscient d'avoir besoin de son aide. J'ai mis du temps à accepter réellement et honnêtement le mouvement, mais l'humilité est venue avec cette acceptation. Je sais à quel point j'avais perdu la raison et je suis extrêmement reconnaissant de l'avoir recouvrée et d'être devenu un alcoolique abstinent. Sans les AA, je ne serais jamais parvenu à être ce que je suis aujourd'hui, un être abstinent et meilleur.

« LE GERME PROFOND »

Le principe voulant que nous ne puissions pas trouver de force durable à moins d'admettre notre défaite totale est le germe profond qui a permis à notre mouvement de naître et de s'épanouir.

LES DOUZE ÉTAPES ET LES DOUZE TRADITIONS, P. 24

Battu et le sachant, je suis arrivé chez les AA seul et habité par la peur de l'inconnu. Une puissance extérieure m'avait sorti du lit et conduit à l'annuaire téléphonique, puis à l'arrêt d'autobus et enfin chez les Alcooliques anonymes. Une fois là, je me suis senti aimé et accepté, ce que je n'avais pas connu depuis ma tendre enfance. J'espère ne jamais oublier l'émerveillement de cette première soirée chez les AA ; ce fut le plus bel événement de ma vie.

RÉCONFORT POUR L'ÂME TROUBLÉE

De toute évidence, c'est un dilemme qui jette dans la plus profonde confusion celui qui s'est éloigné de la foi. Il se croit à tout jamais privé du réconfort d'avoir une quelconque conviction. Il ne peut partager la moindre parcelle de certitude ni du croyant, ni de l'agnostique, ni de l'athée. Il est désorienté.

LES DOUZE ÉTAPES ET LES DOUZE TRADITIONS, P. 33

Je me suis battu contre le concept de Dieu durant mes premières années d'abstinence. Les images du passé qui me revenaient étaient lourdes de peur, de rejet et de condamnation. Puis j'ai entendu mon ami Édouard décrire sa Puissance supérieure. Dans sa jeunesse, on lui avait permis d'adopter une portée de chiots, à condition qu'il assume la responsabilité d'en prendre soin. Chaque matin, il découvrait sur le plancher de la cuisine les inévitables « dégâts » de ses protégés. Malgré son mécontentement, Édouard ne pouvait pas se fâcher, car « c'était là la nature des chiots ». Il était d'avis que Dieu considérait nos défauts et faiblesses de la même manière, avec compréhension et compassion. Ce concept de Dieu qu'avait adopté Édouard m'a souvent réconforté dans mon trouble intérieur.

RIEN NE POUSSE DANS LE NOIR

Nous voudrons faire croître et fleurir ce qu'il y a de bon en chacun de nous, même chez les plus minables.

RÉFLEXIONS DE BILL, P. 10

Grâce à l'autodiscipline et aux lumières que me procure la pratique de la Dixième Étape, je commence à récolter les fruits de la sobriété ; ce n'est pas seulement la simple abstinence d'alcool mais un nouvel équilibre dans tous les domaines de ma vie.

Je reprends espoir, je régénère ma foi et je retrouve ma dignité et le respect de moi-même. Je découvre le mot « et » dans la phrase : « ... et promptement admis nos torts dès que nous nous en sommes aperçus ».

Certain de ne pas toujours avoir tort, j'apprends à m'accepter tel que je suis, plus conscient que jamais des miracles de la sobriété et de la sérénité.

NOUS TOLÉRER LES UNS LES AUTRES

En fin de compte, nous commençons à constater que tous les êtres humains, y compris nous-mêmes, souffrent jusqu'à un certain point de faiblesses émotives et qu'ils sont fréquemment dans l'erreur. Nous nous approchons alors de la vraie tolérance et nous découvrons ce que signifie l'amour authentique du prochain.

LES DOUZE ÉTAPES ET LES DOUZE TRADITIONS, P. 105

Il m'est venu à l'esprit que tout le monde est malade émotionnellement, jusqu'à un certain point. Comment pourrait-il en être autrement ? Qui d'entre nous est spirituellement parfait ? Qui est physiquement parfait ? Alors comment pourrait-il y avoir parmi nous quelqu'un de parfait, émotionnellement ? Par conséquent, que nous reste-t-il d'autre à faire que de nous tolérer les uns les autres et de traiter chacun comme nous aimerions être traités dans les mêmes circonstances ? Voilà, pour moi, ce qu'est vraiment l'amour.

CE QUE NOUS FAISONS LE MIEUX

« Cordonnier, mêle-toi de ce que tu sais faire ! » Il vaut mieux ne faire qu'une seule chose à la perfection que d'en faire plusieurs à moitié. L'unité de notre association gravite autour de ce principe qui est le thème central de cette Tradition. La vie même de l'association en dépend.

LES DOUZE ÉTAPES ET LES DOUZE TRADITIONS, P. 172

La survie des AA dépend de l'unité. Que se passerait-il si un groupe décidait de se transformer en bureau d'embauche, en centre de traitement, en service d'aide ? Un excès de spécialisation mène à l'absence de spécialisation, au gaspillage des efforts et finalement au déclin. Ma compétence, c'est de parler avec les nouveaux de ma souffrance et de mon rétablissement. En me conformant à l'objectif primordial des AA j'assure la sécurité du merveilleux don de la sobriété ; ma responsabilité est donc énorme. La vie de millions d'alcooliques est étroitement liée à ma compétence : « transmettre le message à l'alcoolique qui souffre encore ».

« LA FOI ET LES ŒUVRES »

C'est sur la base solide de l'expérience que fut forgée la structure de notre association... Il en fut ainsi pour les AA. La foi et les œuvres nous ont permis de nous développer à partir des leçons tirées d'une incroyable expérience. Ces leçons sont encore vivantes aujourd'hui dans les Douze Traditions des Alcooliques anonymes qui, si Dieu le veut, nous maintiendront dans l'unité aussi longtemps qu'Il aura besoin de nous.

LES DOUZE ÉTAPES ET LES DOUZE TRADITIONS, P. 149-150

Dieu m'a accordé le droit de me tromper, pour que notre association puisse exister comme elle est aujourd'hui. Si je mets la volonté de Dieu en premier dans ma vie, il est fort probable que les AA garderont leur forme actuelle.

LE POULS DES AA

Sans unité, le cœur de notre mouvement cesserait de battre...

RÉFLEXIONS DE BILL, P. 125

Sans l'unité, je ne pourrais pas me rétablir dans les AA, un jour à la fois. La pratique de l'unité, dans mon groupe, avec d'autres membres des AA et à tous les niveaux de cette grande association, me procure un très fort sentiment d'appartenance à ce miracle d'inspiration divine. L'aptitude de Bill W. et du Dr Bob à travailler ensemble et à transmettre le message à d'autres membres me prouve qu'il faut redonner ce que j'ai reçu, si je veux le conserver. Le mouvement est un et pourtant il appartient à chacun de nous.

UNE AUTORITÉ SUPRÊME

Dans la poursuite de notre objectif commun, il n'existe qu'une seule autorité ultime : un Dieu d'amour tel qu'Il peut se manifester dans notre conscience de groupe.

LES DOUZE ÉTAPES ET LES DOUZE TRADITIONS, P. 151

Quand on me demande d'accepter de légères responsabilités pour mes frères et sœurs, je prie Dieu de m'accorder la patience, l'ouverture d'esprit et la bonne volonté pour écouter les gens que je guiderai. Je dois me rappeler que je suis leur serviteur de confiance et non leur directeur, leur professeur ou leur instructeur. Dieu guide mes paroles et mes actes et j'ai la responsabilité de tenir compte de ses suggestions. « Confiance » est mon mot d'ordre ; je fais confiance à ceux qui dirigent. Dans le mouvement des AA, je confie à Dieu le poste suprême de « metteur en scène ».

PARTAGE GLOBAL

La seule chose qui compte, c'est qu'il est un alcoolique qui a trouvé la voie vers la sobriété. Leurs souffrances et leur rétablissement constituent un héritage que les alcooliques peuvent facilement se transmettre l'un à l'autre. C'est le don que Dieu nous a fait et la transmission de ce don à nos semblables est le seul objectif qui anime aujourd'hui les AA dans tout l'univers.

LES DOUZE ÉTAPES ET LES DOUZE TRADITIONS, P. 173

La force des Alcooliques anonymes réside dans le désir de chacun de ses membres, de chacun de ses groupes, dans le monde entier, de partager avec d'autres alcooliques leur souffrance, ainsi que les moyens de recouvrer et de conserver la sobriété. En restant de façon consciente en contact avec ma Puissance supérieure, je m'assure de toujours entretenir mon désir d'aider d'autres alcooliques, et je garantis ainsi la continuité du merveilleux mouvement des Alcooliques anonymes.

UNE TRADITION ININTERROMPUE

Nous accordons à la survie et à la diffusion des Alcooliques anonymes une bien plus grande importance qu'à l'efficacité de notre appui collectif à toute autre cause.

LES DOUZE ÉTAPES ET LES DOUZE TRADITIONS, P. 203

Quelle signification revêt pour moi cette tradition ininterrompue, vieille de plus d'un demi-siècle, et qui est le fil me reliant à Bill W. et au Dr Bob ! Je me sens tellement plus rassuré d'appartenir à une organisation qui poursuit constamment et inlassablement les mêmes objectifs. Je suis heureux que les énergies des AA ne se soient jamais éparpillées, mais se concentrent plutôt sur nos membres et sur la sobriété de chacun.

Mes convictions sont ce qui me rend humain. Je suis libre de mes opinions, mais l'objectif des AA, clairement établi il y a plus de cinquante ans, est de me garder abstinent. Cet objectif motive la tenue de réunions vingt-quatre heures sur vingt-quatre, la création de milliers de bureaux de services et la participation de centaines de milliers de bénévoles. Comme un rayon de soleil concentré par une loupe, le vision unique des AA a allumé le feu de la foi en la sobriété dans des millions de cœurs, y compris dans le mien.

NOTRE SURVIE

Comme notre rétablissement de l'alcoolisme équivaut pour nous à la vie même, il est impératif que nous tenions mordicus à nos moyens de survie.

LES DOUZE ÉTAPES ET LES DOUZE TRADITIONS, P. 203

L'honnêteté dont font preuve les membres dans les réunions des AA a le pouvoir de m'ouvrir l'esprit. Rien ne peut bloquer le flot d'énergie que suscite cette honnêteté. Le seul obstacle serait l'enivrement, et même dans ce cas, la porte ne sera jamais fermée à celui ou à celle qui nous a quittés et décide de revenir. Le don de la sobriété incite constamment chaque membre à accepter, un jour à la fois, ce programme d'honnêteté.

Ma Puissance supérieure m'a créé avec un but dans la vie. Je lui demande d'accueillir les efforts honnêtes que je fais afin de poursuivre mon voyage dans la spiritualité. Je lui demande de me donner la force de reconnaître et d'exécuter sa volonté.

VIVRE ET LAISSER VIVRE

Jamais depuis sa fondation, le mouvement des Alcooliques anonymes n'a été divisé par une controverse majeure. Il n'a jamais non plus, dans un monde en perpétuel conflit, pris publiquement parti sur un sujet. Il ne s'agit pas toutefois d'une vertu acquise avec le temps. On pourrait pratiquement dire que nous l'avions de naissance... ... Tant que nous ne discuterons pas de ces sujets entre nous il va de soi que nous ne les aborderons jamais publiquement.

LES DOUZE ÉTAPES ET LES DOUZE TRADITIONS, P. 202

M'arrive-t-il d'oublier que si j'ai droit à mes opinions, les autres ne sont pas obligés de les partager ? C'est ce que signifie « vivre et laisser vivre ». La prière de la Sérénité me rappelle, avec l'aide de Dieu, d'« accepter les choses que je ne puis changer ». Est-ce que je tente encore de changer les autres ? Quand il s'agit du « courage de changer les choses que je peux », est-ce que je me souviens que j'ai mes opinions et que les autres ont les leurs ? Ai-je encore peur d'être moi-même ? Enfin, pour ce qui est de la « sagesse d'en connaître la différence », est-ce que je me rappelle que mes opinions me viennent de *mon* expérience ? Si j'adopte l'attitude de celui qui sait tout, est-ce que je ne suscite pas délibérément la controverse ?

ÉVITER LA CONTROVERSE

On retrouve partout dans l'histoire le spectacle de nations et de groupes en émergence qui furent finalement taillés en pièces parce qu'ils cherchaient la controverse ou étaient attirés par elle. D'autres se sont désagrégés en tentant, par sentiment de supériorité, d'imposer au reste de l'humanité leurs propres conceptions établies depuis des millénaires.

LES DOUZE ÉTAPES ET LES DOUZE TRADITIONS, P. 202

En tant que membre des AA et parrain, je sais à quel point je peux faire du tort si je cède à la tentation d'émettre des opinions et de donner des conseils à quelqu'un au sujet de ses problèmes médicaux, matrimoniaux ou religieux. Je ne suis ni médecin, ni conseiller matrimonial, ni avocat. Je ne peux dire à personne comment vivre. Je peux toutefois dire comment j'ai passé, personnellement, à travers les mêmes situations, sans boire, et comment les Étapes et les Traditions des AA m'aident dans ma vie.

JE NE PEUX CHANGER LA DIRECTION DU VENT

Il est facile de commencer à négliger le programme spirituel et de se reposer sur ses lauriers. Si nous le faisons, nous nous préparons de sérieux ennuis, car l'alcool est un ennemi subtil.

LES ALCOOLIQUES ANONYMES, P. 96

Mon premier parrain m'a dit deux choses importantes au sujet de la prière et de la méditation : premièrement, je devais commencer, et deuxièmement, je devais continuer. Quand je suis arrivé chez les AA ma vie spirituelle était une faillite totale. Lorsque j'accordais la moindre attention à Dieu, c'était pour l'appeler au secours parce que ma seule volonté n'arrivait pas à venir à bout d'une tâche ou parce que des peurs terrifiantes terrassaient mon ego.

Aujourd'hui, j'éprouve de la gratitude pour ma nouvelle vie, et mes prières sont des actions de grâce. Au moment de la prière, j'écoute plus que je ne parle. Je sais maintenant que si je ne peux pas changer la direction du vent, je peux ajuster ma voile. Je connais la différence entre superstition et spiritualité. Je sais qu'il y a une manière élégante d'avoir raison et de nombreuses façons d'avoir tort.

GARDER L'OPTIMISME À FLOT

Les autres Étapes permettent à la plupart d'entre nous de demeurer abstinents et de fonctionner ; la Onzième Étape nous permet de poursuivre notre croissance...

LE LANGAGE DU CŒUR, P. 253

Il est beaucoup plus facile pour l'alcoolique abstinent d'être optimiste. L'optimisme me vient tout naturellement lorsque je me sens de plus en plus capable de tirer le meilleur parti de chaque situation. En demeurant abstinent, j'ai l'esprit moins brumeux, ma vision s'éclaircit et je suis davantage capable de prendre les bonnes décisions. Si importante que soit l'abstinence, j'obtiendrai des résultats encore meilleurs si je deviens toujours plus disposé à profiter des lumières d'une Puissance supérieure. Cela me sera possible si j'étudie et mets en pratique les principes du programme des AA. Quand je suis sobre en action et en pensée, la vie prend une tournure beaucoup plus positive.

SE CONCENTRER ET ÉCOUTER

L'examen de conscience, la méditation et la prière sont directement reliés entre eux. Séparément, ces pratiques peuvent apporter beaucoup de soulagement et de profit.

LES DOUZE ÉTAPES ET LES DOUZE TRADITIONS, P. 111

Si je fais d'abord mon examen de conscience, je serai sûrement assez humble après pour prier et méditer, car j'en verrai et j'en sentirai le besoin. Certains préfèrent commencer et terminer par la prière, en plaçant entre les deux l'examen de conscience et la méditation. D'autres commencent par la méditation, à l'écoute des conseils de Dieu sur les défauts qui restent cachés ou non avoués. D'autres encore entreprennent d'avouer leurs défauts par écrit ou oralement, et terminent par une prière de louange et d'action de grâce. Ces trois éléments, l'examen de conscience, la méditation et la prière forment un cercle sans commencement ni fin. Peu importe où et de quelle façon je commence, je finis toujours par atteindre ma destination : une vie meilleure.

UNE DISCIPLINE QUOTIDIENNE

... quand elles [les pratiques de l'examen de conscience, de la méditation et de la prière] sont logiquement reliées et conjuguées, elles forment une assise inébranlable pour la vie.

LES DOUZE ÉTAPES ET LES DOUZE TRADITIONS, P. 111

Les trois dernières Étapes du programme des AA font appel à la discipline bienveillante de Dieu pour tempérer ma nature entêtée. Quelques instants consacrés tous les soirs à l'examen des principaux moments de ma journée et l'aveu de ses aspects les moins réussis m'éclairent sur ma vie, ce qui est essentiel dans l'aventure de la découverte de soi. Je note mes progrès – ou l'absence de progrès – et je demande, dans une méditation faite de prière, d'être libéré des défauts qui me font constamment souffrir. La méditation et la prière m'apprennent aussi l'art de la concentration et de l'écoute. Quand je prie pour connaître la volonté de Dieu et pour me faire guider par lui, l'agitation de la journée s'apaise. Quand je lui demande de m'aider, dans ma recherche de la perfection, je trouve moins assommante la tâche de chaque jour, car je sais qu'il y a de l'honneur dans un travail bien fait. Cette discipline quotidienne de prière et de méditation me garde en forme, spirituellement, et me rend capable d'affronter toutes les situations de la journée, sans penser à la boisson.

UNE FOI DE QUALITÉ

C'est une question de qualité de foi... Nous n'avions jamais fait d'inventaire personnel profond et sérieux... Nous n'avions même pas prié correctement. Nous avions toujours dit : « Réponds à mes désirs » au lieu de dire : « Que ta volonté soit faite ».

LES DOUZE ÉTAPES ET LES DOUZE TRADITIONS, P. 38

Dieu ne me donne pas de biens matériels, ne m'enlève pas ma souffrance et ne me met pas à l'abri des catastrophes, mais il me donne une bonne vie ainsi que la capacité de m'adapter et la paix d'esprit. Mes prières sont simples. J'exprime d'abord ma gratitude pour les bonnes choses de la vie, même si je dois travailler fort pour les obtenir. Puis je demande seulement le courage et la sagesse de faire sa volonté. En réponse, j'obtiens des solutions à mes problèmes, la capacité de faire face aux frustrations de la journée avec une sérénité que je ne croyais pas possible, et la force de mettre en pratique les principes des AA dans mes activités quotidiennes.

SUIVRE LE COURANT

Nous avons cherché par la prière et la méditation à améliorer notre contact conscient avec Dieu, tel que nous Le concevions...

LES DOUZE ÉTAPES ET LES DOUZE TRADITIONS, P. 109

Mes premières paroles, en me levant le matin, sont : « Mon Dieu, je me lève pour faire ta volonté. » C'est la prière la plus courte que je connaisse et elle est profondément enracinée en moi. La prière ne change pas l'attitude de Dieu envers moi, mais elle change mon attitude envers Dieu. Quant à la méditation, elle est un moment de calme et de silence. Elle procure la détente physique, le calme émotif, la concentration mentale et la conscience spirituelle.

Une bonne manière de maintenir la communication et d'améliorer mon contact conscient avec Dieu, c'est de conserver une attitude reconnaissante. Les jours où je suis reconnaissant, il semble se produire de bonnes choses dans ma vie. Mais dès que je me mets à maudire mon sort, ce courant de bonnes choses s'arrête. Ce n'est pas Dieu qui l'interrompt, mais mon attitude négative.

LAISSER AGIR DIEU

... Lui demandant seulement de connaître Sa volonté à notre égard et de nous donner la force de l'exécuter.

LES DOUZE ÉTAPES ET LES DOUZE TRADITIONS, P. 109

Quand je lâche prise et laisse agir Dieu, je peux réfléchir avec clarté et sagesse. Sans y penser, je démissionne rapidement devant les choses qui me font mal et me mettent mal à l'aise. Quand je trouve trop difficile de lâcher prise devant les inquiétudes ou les attitudes négatives qui m'angoissent, tout ce que j'ai à faire, c'est de laisser Dieu, tel que je le conçois, m'en libérer ; sur-le-champ, je laisse tomber les pensées, les souvenirs ou les attitudes qui me troublent.

Quand je reçois l'aide de Dieu, tel que je le conçois, je vis ma vie une journée à la fois et j'arrive à faire face à tous les défis qui se présentent. Alors seulement, ma vie devient une victoire sur l'alcool dans le réconfort de la sobriété.

UNE AVENTURE PERSONNELLE

La méditation est un exercice qui peut prendre sans cesse plus d'envergure. Elle ne connaît pas de limites, ni en largeur ni en hauteur. Favorisée par toutes les connaissances et tous les exemples que nous pourrons trouver, elle devient en somme une aventure personnelle que chacun de nous peut conduire à sa guise.

LES DOUZE ÉTAPES ET LES DOUZE TRADITIONS, P. 115

Ma croissance spirituelle est dans les mains de Dieu tel que je le conçois. Il m'aide à me connaître vraiment. La prière et la méditation quotidiennes renforcent la source de mon bien-être. Elles me procurent l'ouverture d'esprit qui me permet d'accepter tout ce que Dieu a à m'offrir. Avec la présence de Dieu dans ma vie, je suis assuré que mon voyage sera comme il le souhaite et je lui en suis reconnaissant.

MARCHER AU SOLEIL

Nous voudrons faire croître et fleurir ce qu'il y a de bon en chacun de nous, même chez les plus minables. Il est bien certain que nous aurons besoin d'air tonifiant et de nourriture abondante. Mais avant tout, nous chercherons du soleil. Il ne pousse pratiquement rien dans le noir. C'est la méditation qui nous fait sortir au soleil.

RÉFLEXIONS DE BILL, P. 10

Il m'arrive parfois de penser que je n'ai pas le temps de méditer et de prier. J'oublie alors que j'ai toujours trouvé le temps de boire. Je peux toujours trouver le temps de faire quelque chose que je désire vraiment faire. Quand je commence à prier et à méditer, j'ai intérêt à prévoir un peu de temps pour cela. Le matin, je lis une page d'un livre des AA et le soir, en me mettant au lit, je remercie Dieu. L'habitude de la prière étant bien ancrée, j'y consacrerai plus de temps, sans même me rendre compte qu'elle empiète sur ma journée si occupée. Lorsque j'ai du mal à prier, je ne fais que répéter le Notre Père, car cette prière résume tout. Puis je pense aux choses pour lesquelles je peux être reconnaissant et je dis merci.

Je n'ai pas besoin de m'enfermer dans un placard pour prier. Je peux même le faire dans une pièce pleine de monde. Je n'ai qu'à me retirer mentalement, pendant un moment. Une fois la pratique de la prière bien développée, je me rendrai compte que les mots ne sont plus nécessaires, car Dieu entend mes pensées dans le silence.

UN SENTIMENT D'APPARTENANCE

L'une des plus précieuses récompenses que peuvent nous apporter la prière et la méditation, c'est sans doute le sentiment d'appartenance que nous en tirons.

LES DOUZE ÉTAPES ET LES DOUZE TRADITIONS, P. 120

Ce qui compte est l'appartenance ! Après une séance de méditation, j'ai su que ce que je ressentais était un sentiment d'appartenance, parce que j'étais très détendu. Je me sentais plus calme intérieurement, plus à même d'écarter les petites irritations de la vie. Je goûtais mon sens de l'humour. Dans cette pratique quotidienne de la méditation, je ressens également le pur plaisir d'appartenir au courant créateur de l'univers de Dieu. Comme il est bien pour nous que la prière et la méditation s'inscrivent dans notre mode de vie des AA.

S'ACCEPTER SOI-MÊME

Nous savons que Dieu veille avec amour sur nous. Nous savons qu'en nous tournant vers Lui, tout ira bien pour nous, ici-bas et dans l'au-delà.

LES DOUZE ÉTAPES ET LES DOUZE TRADITIONS, P. 120

Je prie pour me rappeler que je suis un enfant de Dieu, une âme divine dans une forme humaine, et que la tâche de ma vie la plus fondamentale et la plus pressante est de m'accepter, de me connaître, de m'aimer et de m'éduquer moi-même. En m'acceptant, j'accepte la volonté de Dieu. En me connaissant et en m'aimant, j'apprends à connaître et à aimer Dieu. En m'éduquant moi-même, j'agis en me laissant guider par Dieu.

Je prie pour ne plus faire une autocritique arrogante et pour louer Dieu en m'acceptant avec humilité et bienveillance tel que je suis.

PENSÉES DU MATIN

Dans votre méditation du matin, demandez-Lui ce que vous pouvez faire chaque jour pour celui qui souffre encore.

LES ALCOOLIQUES ANONYMES, P. 185

Longtemps, j'ai réfléchi à la volonté de Dieu à mon égard, en songeant qu'il me réservait peut-être un grand destin. Après tout, est-ce que je n'avais pas appris dans la religion de ma jeunesse que j'étais « élu » ? J'ai finalement compris, en lisant le passage cité, que la volonté de Dieu à mon égard est que je pratique la Douzième Étape chaque jour et de mon mieux. J'ai vite constaté que cette pratique m'aide à vivre dans le contexte du quotidien.

REGARDER VERS L'EXTÉRIEUR

Nous souhaitons surtout être libérés de notre volonté personnelle et nous veillons à ne rien réclamer seulement pour nous-mêmes. Nous pouvons toutefois faire des demandes pour nous si les autres peuvent en bénéficier. Nous nous abstenons toujours de prier pour l'accomplissement de nos désirs égoïstes.

LES ALCOOLIQUES ANONYMES, P. 98-99

À l'époque où je buvais, je laissais l'égoïsme diriger ma vie. J'étais tellement attaché à mon alcoolisme et à mes autres habitudes égoïstes que les gens et les principes moraux venaient en second lieu. Aujourd'hui, quand je prie pour le bien-être d'autres personnes plutôt que pour l'accomplissement de mes désirs égoïstes, je me force à laisser tomber mes attaches égoïstes, à me soucier de mes semblables et à me préparer au jour où je devrai me dépouiller de toute attache terrestre.

INTUITION ET INSPIRATION

... nous demandons à Dieu de nous donner l'inspiration, l'intuition qui nous fera prendre la bonne décision. Nous restons calmes et détendus. Nous ne nous débattons pas.

LES ALCOOLIQUES ANONYMES, P. 98

J'investis mon temps dans ce que j'aime vraiment. La Onzième Étape est une discipline qui me permet d'être avec ma Puissance supérieure et de me rappeler qu'avec l'aide de Dieu, je peux avoir de l'intuition, de l'inspiration. La pratique de cette Étape m'apprend à m'aimer moi-même. Cet effort constant pour améliorer mon contact conscient avec ma Puissance supérieure me rappelle subtilement mon passé malsain, avec mes idées de grandeur et mon sentiment de toute-puissance. En demandant à Dieu de me donner la force d'exécuter sa volonté à mon égard, je deviens conscient de mon impuissance. La pratique de la Onzième Étape a pour conséquence directe de rendre l'humilité et l'amour de soi compatibles.

NOURRITURE VITALE

Ceux d'entre nous qui ont pris l'habitude de prier régulièrement ne voudraient pas plus s'en priver que nous ne serions prêts à refuser l'air, la nourriture ou le soleil. Pour la même raison, quand on refuse l'air, la lumière ou la nourriture, l'organisme en souffre. De la même manière, si nous nous détournons de la prière et de la méditation, nous privons d'un soutien vital notre esprit, notre cœur et notre inspiration.

LES DOUZE ÉTAPES ET LES DOUZE TRADITIONS, P. 111

Je n'ai pas à me sentir écrasé par la Onzième Étape. Le contact conscient peut être aussi simple et aussi profond avec Dieu qu'avec un autre être humain. Je peux sourire, écouter, pardonner. Chaque rencontre avec une autre personne est pour moi l'occasion d'une prière, l'occasion de reconnaître la présence de Dieu en moi.

Aujourd'hui, je peux me rapprocher un peu plus de ma Puissance supérieure. Plus je cherche à reconnaître sa beauté dans les autres, plus je deviens certain de sa présence.

UN SURSIS QUOTIDIEN

... nous bénéficions seulement d'un sursis quotidien, lequel dépend du maintien de notre forme spirituelle.

LES ALCOOLIQUES ANONYMES, P. 96

Me maintenir en forme spirituellement, c'est comme m'entraîner tous les jours, me préparer pour le marathon, faire des longueurs de piscine ou du jogging. Le maintien de ma forme spirituelle exige la prière et la méditation. La façon la plus importante pour moi d'améliorer mon contact conscient avec ma Puissance supérieure est de prier et de méditer. Je suis aussi impuissant devant l'alcool que devant les vagues de la mer. Aucune force humaine ne pouvait vaincre mon alcoolisme mais aujourd'hui, je respire la joie, le bonheur et la sagesse. J'ai le pouvoir d'aimer et de réagir devant les événements avec les yeux de la foi, même lorsque je n'en comprends pas la raison. Bénéficier d'un sursis quotidien signifie que, peu importe les difficultés ou les souffrances de la journée, je peux tirer ma force du programme des AA, afin de conserver ma liberté devant une maladie puissante, déroutante et sournoise.

VAINCRE LA SOLITUDE

Tous les alcooliques, presque sans exception, sont tourmentés par la solitude. Même avant que notre alcoolisme s'aggrave et que les gens commencent à s'éloigner de nous, nous avons presque tous éprouvé le pénible sentiment de ne pas être tout à fait à notre place.

RÉFLEXIONS DE BILL, P. 90

L'angoisse et le vide intérieur que j'ai souvent ressentis sont de moins en moins fréquents dans ma vie actuelle. J'ai appris à me débrouiller avec la solitude. Ce n'est que quand je suis seul et calme que je peux communiquer avec Dieu ; quand je suis agité il ne peut m'atteindre. S'il est bon de pouvoir maintenir un contact conscient avec Dieu en tout temps, il est absolument vital que je maintienne ce contact par la prière et la méditation quand tout semble aller mal.

UN FILET DE SÉCURITÉ

Nous sommes saisis d'un tel accès de révolte que nous refusons tout simplement de prier. Lorsque ces crises surviennent nous ne devons pas nous juger trop sévèrement. Nous devrions nous remettre le plus tôt possible à la prière, et faire ainsi ce que nous savons être dans notre intérêt.

LES DOUZE ÉTAPES ET LES DOUZE TRADITIONS, P. 120

Parfois je crie, je tape du pied et je tourne le dos à ma Puissance supérieure. Puis ma maladie me rappelle que je suis dans l'erreur et que si je reste en colère, je vais sûrement boire. Dans ces moments d'entêtement, je me sens comme si j'avais glissé et restais suspendu par une main au bord d'un précipice. Le passage cité devient mon filet de sécurité ; il m'incite à changer de comportement de toute urgence et à tâcher de devenir bon et patient avec moi-même. Il m'assure que ma Puissance supérieure attendra que je sois à nouveau prêt à prendre le risque de lâcher prise, à atterrir dans le filet et à me remettre à la prière.

« JE M'ÉLOIGNAIS DU MOUVEMENT »

Les AA sont des gens actifs : nous sommes ravis de pouvoir faire face à la vie telle qu'elle se présente,... Il ne faut donc pas s'étonner que nous soyons souvent portés à voir la méditation et la prière sérieuses comme des choses vraiment peu nécessaires.

LES DOUZE ÉTAPES ET LES DOUZE TRADITIONS, P. 109

Je négligeais le programme des AA depuis un certain temps et il a fallu la menace d'une maladie mortelle pour me ramener à la pratique des Étapes, de la Onzième Étape surtout. Même si j'étais abstinent depuis quinze ans et si je demeurais actif dans le mouvement, je savais que ma sobriété avait perdu beaucoup de sa qualité. Dix-huit mois plus tard, un examen révéla une tumeur maligne qui laissait prévoir une mort certaine en moins de six mois. Au moment de suivre un programme de réadaptation, j'étais désespéré ; par la suite, j'ai eu deux légères attaques et on a découvert deux grosses tumeurs au cerveau. De plus en plus démoralisé, je me demandais pourquoi tout cela m'arrivait. Dieu m'a permis de voir ma malhonnêteté et de redevenir disposé à apprendre. Les miracles ont commencé à se produire. Avant tout, j'ai réappris le sens de la Onzième Étape. Mon état de santé s'est amélioré de façon spectaculaire, mais ma maladie n'est rien en comparaison de ce que j'ai failli perdre complètement.

« TA VOLONTÉ, NON LA MIENNE »

... à chacune de nos demandes précises, il sera bon d'ajouter cette condition : « ... si c'est là Ta volonté ».

LES DOUZE ÉTAPES ET LES DOUZE TRADITIONS, P. 116

Je demande simplement que Dieu me donne la meilleure compréhension possible de sa volonté ainsi que la grâce de l'exécuter tout au long de ma journée. À mesure que la journée avance, quand j'ai à faire face à certaines situations et à prendre des décisions, je fais une pause et renouvelle cette simple demande : « Que ta volonté soit faite, et non la mienne. »

Je dois toujours me rappeler, en toute occasion, que j'ai la responsabilité des efforts et que Dieu a celle des résultats. Il est plus facile de lâcher prise et de laisser agir Dieu quand je répète humblement : « Que ta volonté soit faite, et non la mienne. » La patience et la persévérance dans la recherche de sa volonté à mon égard me libéreront de la souffrance des attentes égoïstes.

UNE PRIÈRE CLASSIQUE

Seigneur, fais de moi un instrument de Ta paix ; là où se trouve la haine, que j'apporte l'amour ; là où se trouve l'offense, que j'apporte l'esprit de pardon ; là où se trouve la discorde, que j'apporte l'harmonie ; là où se trouve l'erreur, que j'apporte la vérité ; là où se trouve le doute, que j'apporte la foi ; là où se trouve le désespoir, que j'apporte l'espérance ; là où se trouve l'obscurité, que j'apporte la lumière ; là où se trouve la tristesse, que j'apporte la joie. Seigneur, fais que je cherche à consoler plutôt qu'à être consolé ; à comprendre plutôt qu'à être compris ; à aimer plutôt qu'à être aimé. Car c'est en s'oubliant que l'on trouve. C'est en pardonnant qu'on reçoit le pardon. C'est en mourant qu'on s'éveille à la Vie éternelle. Amen.

LES DOUZE ÉTAPES ET LES DOUZE TRADITIONS, P. 113

Peu importe où j'en suis dans ma croissance spirituelle, cette prière de saint François m'aide à améliorer mon contact conscient avec Dieu, tel que je le conçois. Je crois que l'un des grands avantages de ma foi, c'est de ne pas comprendre Dieu, qui ou quoi qu'il soit. Il se peut que ma relation avec ma Puissance supérieure soit tellement fructueuse que je n'éprouve pas le besoin de comprendre. Je suis certain d'une seule chose : si je pratique ma Onzième Étape régulièrement de mon mieux, je vais continuer d'améliorer mon contact conscient avec Dieu, connaître sa volonté à mon égard et recevoir la force de l'exécuter.

SEULEMENT DEUX PÉCHÉS

... Il n'y a que deux péchés : le premier c'est d'entraver la croissance d'un autre être humain, le second c'est d'entraver sa propre croissance.

ALCOHOLIC ANONYMOUS, 3E ÉDITION, P. 542

Le bonheur est tellement insaisissable. Combien de fois mes prières pour les autres ne cachent-elles pas des demandes pour moi-même ? Combien de fois ma quête du bonheur n'est-elle pas un obstacle sur le chemin de la croissance de quelqu'un d'autre, ou même de ma propre croissance ? Chercher à croître avec humilité et un esprit d'acceptation semble n'apporter que des choses bonnes, saines et vitales. Avec le recul, je constate que la souffrance, les luttes et les échecs ont fini par contribuer à la sérénité de ma croissance dans le programme des AA.

Je demande à ma Puissance supérieure de m'aider aujourd'hui à ne pas entraver la croissance de quelqu'un d'autre ou la mienne.

« TOURNE-TOI VERS LA LUMIÈRE »

« Que ta foi soit plus profonde. Tourne-toi vers la Lumière, même si tu ne la vois pas en ce moment. »

RÉFLEXIONS DE BILL, P. 3

Un dimanche d'octobre, pendant ma méditation matinale, j'ai regardé par la fenêtre le frêne devant la maison. J'ai été éblouie par sa magnifique couleur dorée. Pendant que j'admirais cette œuvre d'art de Dieu, les feuilles ont commencé à tomber et, en quelques minutes, les branches se sont dénudées. La tristesse m'a envahie à la pensée de l'hiver qui s'en venait, mais en réfléchissant au cycle automnal, j'ai compris le message de Dieu. Tout comme les arbres se dépouillent de leurs feuilles à l'automne pour se donner un nouveau feuillage au printemps, Dieu m'a enlevé mes obsessions égoïstes, afin que je puisse devenir une membre abstinente et joyeuse des Alcooliques anonymes. Merci, mon Dieu, pour les changements de saison et pour ma vie en perpétuel changement.

UNE QUÊTE UNIVERSELLE

Empressez-vous de trouver les bons côtés de la religion et mettez à profit ce que ces adeptes proposent.

LES ALCOOLIQUES ANONYMES, P. 99

Je ne prétends pas avoir toutes les réponses en matière de spiritualité, pas plus que je ne prétends tout savoir dans le domaine de l'alcoolisme. D'autres que moi sont aussi engagés dans la recherche spirituelle. Si je garde l'esprit ouvert à ce que les autres ont à dire, j'ai beaucoup à gagner. Ma sobriété se trouve grandement enrichie et ma pratique de la Onzième Étape plus fructueuse, quand j'ai recours aux écrits et aux pratiques de la tradition judéo-chrétienne et des autres religions. De nombreuses ressources peuvent ainsi m'aider dans mes efforts pour m'éloigner du premier verre.

UNE PUISSANTE TRADITION

Dans les années qui ont précédé la publication du livre Alcoholics Anonymous, nous n'avions pas de nom... Par une mince majorité, le verdict fut qu'on nommerait notre livre The Way Out [« Le moyen de s'en sortir »]... L'un de nos premiers membres isolés... trouva exactement douze livres intitulés The Way Out... de sorte que c'est finalement Alcooliques anonymes qui a été retenu. Voilà comment nous avons donné un nom à notre livre d'expérience et à notre mouvement, voilà comment nous nous sommes donné, nous commençons maintenant à nous en rendre compte, une tradition de la plus haute importance spirituelle.

LA TRADITION DES AA : SON DÉVELOPPEMENT, P. 43-44

À commencer par la très importante décision de Bill W., à Akron, de faire un appel téléphonique plutôt que de se rendre au bar de l'hôtel, combien de fois Dieu n'a-t-il pas fait sentir sa présence aux moments les plus importants de notre histoire ! Au début, l'importance que revêtirait un jour le princ ipe de l'anonymat n'était que faiblement perçue – quand elle l'était. Le hasard semble avoir contribué même au choix de notre nom.

Dieu, qui n'est pas étranger à l'anonymat, se manifeste souvent dans les affaires humaines, déguisé en « chance », en « hasard » ou en « coïncidence ». Si l'anonymat est ainsi devenu, de manière quelque peu fortuite, le fondement spirituel de toutes nos Traditions, c'est peut-être que Dieu agissait dans l'anonymat en notre nom à tous.

LES DANGERS DE LA PUBLICITÉ

Les personnes qui incarnent des valeurs et des idées répondent à un besoin profond des êtres humains. Chez les AA, nous ne remettons pas ce phénomène en cause, mais il nous faut bien regarder les faits comme ils sont et reconnaître qu'il est risqué, surtout dans notre cas, d'être mis en évidence dans la société.

LES DOUZE ÉTAPES ET LES DOUZE TRADITIONS, P. 207

En tant qu'alcoolique rétabli, je dois faire un effort pour mettre en pratique les principes des AA, qui sont fondés sur l'honnêteté, la vérité et l'humilité. Quand je buvais, je cherchais constamment à occuper le devant de la scène. Maintenant que je suis conscient de mon manque d'intégrité et de mes errements passés, je serais malhonnête de rechercher le prestige, même pour servir la juste cause du message des AA. La publicité entourant le mouvement et les miracles qu'il engendre valent sûrement beaucoup plus que cela. Pourquoi ne pas laisser les gens qui m'entourent apprécier d'eux-mêmes les changements que les AA ont produits en moi ? Ce serait là une bien meilleure promotion du mouvement que toute recommandation que je pourrais faire.

ATTENTION AUX FEUX DE LA RAMPE !

Au début, les gens de la presse ne parvenaient pas à comprendre pourquoi nous refusions toute publicité personnelle. Ils étaient tout à fait déconcertés de nous voir tant tenir à l'anonymat. Puis ils ont compris. Ils avaient devant eux un phénomène rare dans notre monde : une société désireuse de faire connaître ses principes et son action, mais non pas ses membres. La presse a été ravie de cette attitude. Et depuis, ces bons amis ont parlé des AA avec un enthousiasme que les membres les plus ardents auraient du mal à égaler.

LES DOUZE ÉTAPES ET LES DOUZE TRADITIONS, P. 208

Pour ma survie personnelle et pour celle du mouvement, il importe que j'évite de me servir des AA pour me mettre sous les feux de la rampe. L'anonymat est pour moi un moyen de cultiver mon humilité et la pratique de l'humilité est une excellente façon de venir à bout de mon orgueil, qui est l'un de mes défauts les plus dangereux. C'est par les différentes méthodes utilisées pour faire connaître ses principes et son action, et non par la promotion personnelle des membres, que le mouvement des AA obtient une reconnaissance mondiale. L'attrait que suscitent mes changements d'attitude et mon dévouement auprès des autres contribue beaucoup plus au bien-être des AA que toute publicité que je ferais au sujet de mon rétablissement.

L'ATTRAIT PLUTÔT QUE LA RÉCLAME

Au prix de plusieurs expériences pénibles, nous croyons être arrivés à la formule idéale. Elle est, d'une façon générale, à l'opposé des pratiques courantes dans l'art de la promotion. Il nous est apparu que nous devions nous appuyer sur le principe de l'attrait plutôt que sur celui de la réclame.

LES DOUZE ÉTAPES ET LES DOUZE TRADITIONS, P. 207

Quand je buvais, je réagissais par la colère, l'apitoiement et le défi devant tous ceux qui voulaient me voir changer. Tout ce que je voulais, c'était simplement être accepté tel que j'étais par un autre être humain. Curieusement, c'est ce que j'ai trouvé chez les AA. Je suis devenu le gardien de ce concept de l'attrait, qui est à la base de la politique de relations publiques de notre mouvement. C'est par mon exemple que je peux le mieux atteindre l'alcoolique qui souffre encore.

Je remercie Dieu de m'avoir montré l'attrait des Étapes et des Traditions, un programme bien pensé et bien présenté. Grâce à l'humilité et au soutien des membres abstinents, grâce à l'attrait plutôt qu'à la réclame j'ai été en mesure de mettre en pratique le mode de vie des AA.

DES GARDIENS ACTIFS

Pour nous, toutefois, c'est beaucoup plus qu'une solide politique de relations publiques. Il ne s'agit pas seulement de renoncer à la renommée personnelle. Cette Tradition nous rappelle sans cesse et concrètement que l'ambition personnelle n'a pas sa place chez les AA. C'est la Tradition qui permet à chacun des membres de devenir un gardien actif de notre Mouvement.

LES DOUZE ÉTAPES ET LES DOUZE TRADITIONS, P. 209-210

C'est le concept fondamental de l'humilité qui est exprimé dans la Onzième Tradition. Il me permet de participer pleinement au programme des AA d'une manière à la fois simple et profonde ; il comble mon besoin de faire partie intégrante d'un tout important. L'humilité me rapproche de l'esprit de groupe et de l'unité sans lesquels je ne pourrais pas rester abstinent. En me rappelant que chaque membre est un exemple de sobriété, vivant la Onzième Tradition, j'arrive à connaître la liberté parce que chacun de nous est anonyme.

UNE PROTECTION POUR TOUS

– Sur le plan personnel, l'anonymat permet aux membres de ne pas être reconnus comme alcooliques, ce qui constitue souvent une garantie d'une importance particulière pour les nouveaux.
– Au niveau de la presse, de la radio, de la télévision et du cinéma, l'anonymat fait ressortir l'égalité de tous les membres dans le mouvement en mettant un frein aux ambitions de ceux qui pourraient autrement chercher à se servir de leur appartenance aux AA pour se faire reconnaître et obtenir pouvoir et richesse.

LE SENS DE L'ANONYMAT, P. 5

L'attrait est la force même des AA. Le miracle de la sobriété continue des alcooliques membres du mouvement le confirme, jour après jour. Il serait dommageable pour le mouvement de faire sa promotion en rendant publique, dans les médias, à la radio ou à la télévision, l'appartenance à AA de personnalités célèbres. La sobriété est une chose fragile. Si l'une ou l'autre de ces personnalités avait une rechute, les observateurs en concluraient que notre mouvement n'est pas très fort, et ils pourraient mettre en doute la véracité du miracle du siècle. Notre association n'est pas anonyme, mais ses membres le sont.

DES ÉTAPES « SUGGÉRÉES »

La Douzième Étape rappelle également que chacun de nous a connu, comme résultat de la pratique de toutes les Étapes, ce qu'on appelle un réveil spirituel... C'est par la pratique des Douze Étapes de notre programme que les AA se préparent à recevoir ce don.

LES DOUZE ÉTAPES ET LES DOUZE TRADITIONS, P. 121-122

Je me souviens de la réponse de mon parrain quand je lui ai dit que les Étapes n'étaient que des suggestions. Il m'a répondu qu'elles étaient « suggérées » de la même manière qu'il est « suggéré » à celui qui saute d'un avion en parachute de tirer sur la poignée de son parachute s'il tient à la vie. Il a souligné qu'on me « suggère » de pratiquer les Douze Étapes si je tiens à la vie. J'essaie donc de me rappeler, tous les jours, que j'ai un programme de rétablissement complet à suivre, fondé sur les Douze Étapes « suggérées ».

SÉRÉNITÉ

Ayant connu un réveil spirituel comme résultat de ces Étapes...

LES DOUZE ÉTAPES ET LES DOUZE TRADITIONS, P. 121

En continuant d'assister aux réunions et de mettre en pratique les Étapes, quelque chose a commencé à se produire en moi. J'étais troublé parce que je ne savais pas trop ce que je ressentais ; puis, je me suis rendu compte que j'étais en train de connaître la sérénité. Mais d'où me venait cette sensation agréable ? J'ai compris qu'elle était le « résultat des Étapes ». Le programme des Douze Étapes n'est pas toujours facile, mais je devais bien admettre que ma sérénité venait de sa mise en pratique. En appliquant ses principes à toutes mes activités et en les transposant dans tous les domaines de ma vie, je constate aujourd'hui que je suis en contact avec Dieu, avec les autres et avec moi-même. Le réveil spirituel qui me vient de la mise en pratique des Étapes, c'est la conscience de ne plus être seul.

DANS TOUS LES DOMAINES

... nous avons alors essayé de transmettre ce message à d'autres alcooliques et de mettre en pratique ces principes dans tous les domaines de notre vie.

LES DOUZE ÉTAPES ET LES DOUZE TRADITIONS, P. 121

Je trouve qu'il est facile de transmettre le message à d'autres alcooliques, car cela m'aide à rester abstinent et à me sentir bien dans mon rétablissement. La partie la plus dure de cette Étape, c'est de *mettre en pratique ces principes dans tous les domaines de ma vie*. Il est important que je partage tout ce que je retire des AA, surtout *à la maison*. Ma famille n'a-t-elle pas droit à autant de patience, de tolérance et de compréhension que l'alcoolique que je m'empresse d'aider ? Quand je passe en revue ma journée, j'essaie de me demander : « Ai-je aujourd'hui raté l'occasion d'être un ami pour quelqu'un ? Ai-je raté l'occasion de surmonter une situation déplaisante ? Ai-je raté l'occasion de m'excuser ? »

Tout comme je demande à Dieu de m'aider à demeurer abstinent, chaque jour je lui demande de m'aider à manifester mon rétablissement dans toutes les situations et avec *tous*.

À L'ŒUVRE

Il y a plus, chez les AA, qu'un ensemble de principes ; il s'agit d'une association d'alcooliques engagés dans l'action. Nous devons transmettre le message si nous ne voulons pas dépérir nous-mêmes ou laisser mourir ceux qui n'ont pas connu la vérité.

RÉFLEXIONS DE BILL, P. 13

Je voulais désespérément vivre, mais pour cela je devais appliquer ce programme que nous a donné Dieu. Je me suis joint à un groupe, j'ouvrais la salle, je préparais le café et je nettoyais après les réunions. J'étais abstinent depuis environ trois mois lorsqu'un ancien membre m'a dit que je faisais de la Douzième Étape. Quelle découverte réconfortante ! J'avais le sentiment d'être vraiment en train d'accomplir quelque chose. Dieu m'avait donné une chance et les AA m'avaient montré la voie, deux cadeaux non seulement gratuits, mais inestimables ! Quand je vois avec plaisir un nouveau se rétablir, je me rappelle d'où je viens et où j'en suis maintenant, et je songe aux possibilités sans fin qui m'attendent. Je dois assister à des réunions pour recharger mes batteries afin de ne pas manquer de lumières quand j'en aurai besoin. Je ne suis toujours qu'un débutant dans les services, mais j'ai déjà commencé à recevoir plus que je ne donne. Je ne peux rien conserver de tout cela à moins de le redonner. C'est moi qui suis responsable quand quelqu'un tend la main ; je veux être là, abstinent.

UN NOUVEL ÉTAT DE CONSCIENCE

Elle a reçu un don qui équivaut à un nouvel état de conscience et à une nouvelle façon d'être.

LES DOUZE ÉTAPES ET LES DOUZE TRADITIONS, P. 122

Beaucoup d'entre nous, Alcooliques anonymes, se demandent ce qu'est un réveil spirituel. J'avais tendance à attendre un miracle, quelque chose de spectaculaire comme un tremblement de terre. Il se produit plutôt d'habitude une sensation de bien-être et de paix qui nous porte à un autre niveau de conscience. C'est ce qui m'est arrivé. Ma folie et mon agitation intérieure ont disparu, et je suis entré dans une nouvelle dimension, celle de l'espoir, de l'amour et de la paix. Je crois que mes chances de me maintenir dans cette nouvelle dimension seront directement proportionnelles à la sincérité, au sérieux et au dévouement que je mettrai dans la pratique des Douze Étapes des AA.

QUAND LES DÉS SONT JETÉS

Un peu plus loin dans notre progression, nous avons découvert que Dieu lui-même était la plus grande source de stabilité émotive. Nous avons compris qu'il était salutaire de nous en remettre à Sa justice, à Son pardon et à Son amour sans limite ; ce recours serait toujours efficace quand tous les autres auraient échoué. Si nous comptions vraiment sur Dieu, il n'était plus guère possible de jouer le rôle de Dieu envers notre prochain, et il n'y aurait plus cette irrésistible tendance à compter entièrement sur la protection et l'attention humaines.

LES DOUZE ÉTAPES ET LES DOUZE TRADITIONS, P. 133

L'expérience m'a appris que, lorsque toutes les ressources humaines sembleront avoir disparu, il en est une qui ne m'abandonnera jamais. De plus, Dieu sera toujours là pour partager ma joie, me remettre sur la bonne voie ou m'écouter, quand personne d'autre ne pourra le faire. Alors que d'autres humains peuvent accroître ou réduire mon bien-être et mon bonheur, Dieu seul peut me procurer la nourriture d'amour dont dépend chaque jour ma santé spirituelle.

LA VRAIE AMBITION

L'ambition véritable n'est pas ce que nous pensions. L'ambition véritable, c'est le désir d'être utile dans la vie et de marcher avec humilité sous le regard bienveillant de Dieu.

LES DOUZE ÉTAPES ET LES DOUZE TRADITIONS, P. 143

À l'époque où je buvais, ma seule et unique préoccupation était de m'assurer que mes semblables avaient une haute opinion de moi. Dans tout ce que je faisais, mon ambition était d'avoir le pouvoir d'occuper le sommet. Dans mon for intérieur se faisait entendre une autre voix, mais je ne voulais pas l'écouter. Je ne me permettais même pas de m'avouer que je portais un masque en tout temps. Quand enfin le masque est tombé et que j'ai crié vers le seul Dieu que je pouvais concevoir, le mouvement des AA, mon groupe et les Douze Étapes étaient là qui m'attendaient. J'ai appris à transformer la rancune en tolérance, la peur en espoir et la colère en amour. En aimant sans condition, en partageant mes préoccupations et en m'occupant de mon prochain, j'ai aussi appris que chaque jour pouvait être joyeux et fructueux. Je commence et finis ma journée en remerciant Dieu de m'avoir si généreusement couvert de sa grâce.

LE SERVICE

Vous trouverez un sens nouveau à la vie. Voir des gens se rétablir et apporter de l'aide aux autres, ne plus connaître la solitude, voir grandir un groupe autour de vous, avoir une foule d'amis, voilà une expérience à ne pas manquer... Le contact fréquent avec les nouveaux et les autres, c'est ce qui illumine notre vie.

LES ALCOOLIQUES ANONYMES, P. 101

C'est dans les services que se trouvent les plus belles récompenses. Cependant, afin de pouvoir être vraiment utile et efficace au service des autres, je dois d'abord m'occuper de moi-même. Pour ça, je dois m'abandonner à Dieu, admettre mes fautes et déblayer les ruines du passé. En travaillant ainsi sur moi-même, j'ai appris à trouver la paix et la sérénité qu'il faut pour bien doser inspiration et expérience. J'ai appris à devenir, au vrai sens du terme, une voie vers la sobriété.

L'AMOUR GRATUIT

Vue dans toute sa portée, la Douzième Étape nous parle vraiment de cette sorte d'amour qui n'a pas de prix.

LES DOUZE ÉTAPES ET LES DOUZE TRADITIONS, P. 121

Avant d'aborder la Douzième Étape, j'ai dû apprendre la sincérité, l'honnêteté et l'humilité. Transmettre le message, c'est faire don de soi-même, peu importe le nombre d'années d'abstinence. Mes rêves peuvent devenir réalité. Je consolide ma sobriété en partageant ce que j'ai reçu gratuitement. Quand je regarde mes premiers pas de rétablissement, je vois déjà en germe l'espoir d'aider un jour un autre alcoolique à se sortir de son bourbier. Mon désir d'aider un autre alcoolique est la clé de ma santé spirituelle. Mais je ne dois pas oublier que c'est Dieu qui travaille par mon intermédiaire ; je ne suis que son instrument.

Même si l'autre personne n'était pas prête, j'ai réussi, car mes efforts auprès d'elle m'ont aidé à me maintenir abstinent et à me renforcer. Agir, ne jamais me lasser de la pratique de la Douzième Étape, voilà le secret. Si je peux rire aujourd'hui, je ne dois pas oublier l'époque où je pleurais. Dieu me rappelle que je peux être compatissant.

TRANSMETTRE LE MESSAGE

Qu'en est-il, maintenant, du reste de la Douzième Étape ? L'énergie formidable qui s'en dégage et qui se transforme en élan empressé de transmettre son message à d'autres alcooliques qui souffrent encore, et qui traduit ainsi en actions les Douze Étapes dans tous les domaines de notre vie, est la récompense et la magnifique réalité des Alcooliques anonymes.

LES DOUZE ÉTAPES ET LES DOUZE TRADITIONS, P. 125

Renoncer au monde des alcooliques, ce n'est pas l'abandonner ; c'est agir selon des principes que j'ai appris à aimer et à chérir, pour aider ceux qui souffrent encore à recouvrer la sérénité que je connais maintenant. Quand je poursuis vraiment cet objectif, les vêtements que je porte et ma façon de gagner ma vie importent peu. Ma tâche est de transmettre le message et de donner l'exemple, non de prêcher.

« UNE HUMILITÉ VRAIE »

... nous devons pratiquer une humilité véritable. Ceci afin que les grâces reçues ne nous déforment jamais, et pour que nous puissions vivre pour toujours dans la plus profonde gratitude envers Celui qui est le maître de notre destinée.

LES DOUZE ÉTAPES ET LES DOUZE TRADITIONS, P. 220

L'expérience m'enseigne que ma personnalité alcoolique tend à être pédante. Sous le couvert d'apparentes bonnes intentions, je peux me lancer dans des digressions, à la poursuite de mes « causes ». Mon ego prend le dessus et je perds de vue mon objectif fondamental. Il peut même m'arriver de m'attribuer tout le mérite de l'œuvre de Dieu dans ma vie. Un sentiment aussi exagéré de ma propre importance est dangereux pour ma sobriété et pourrait causer beaucoup de tort au mouvement tout entier.

La Douzième Tradition est ma sauvegarde parce qu'elle m'aide à demeurer humble. Je me rends compte, en tant qu'individu et membre des Alcooliques anonymes, que je ne peux me vanter de mes réalisations et que « Dieu fait pour nous ce que nous ne pouvions pas faire pour nous-mêmes ».

UNE SOLUTION COMMUNE

Ce qu'il y a d'extraordinaire pour chacun de nous, c'est que nous avons découvert une solution commune. Nous avons une façon de nous en sortir sur laquelle nous sommes absolument d'accord et qui nous unit dans une action amicale et harmonieuse. C'est là la grande nouvelle que ce livre annonce à ceux qui souffrent d'alcoolisme.

LES ALCOOLIQUES ANONYMES, P. 20-21

Le plus important travail, dans le cadre de la Douzième Étape, a été la publication de notre Gros Livre, *Les Alcooliques anonymes.* Peu de membres peuvent transmettre le message à autant de personnes que ce livre. Pour ma part, je dois m'oublier moi-même et faire mon possible. Même si personne ne m'a demandé d'être son parrain et que mon téléphone ne sonne pas souvent, je peux toujours pratiquer la Douzième Étape en réalisant « action amicale et harmonieuse ». Je me présente tôt aux réunions pour accueillir les gens et aider à préparer la salle, et je partage mon expérience, ma force et mon espoir. Je fais aussi de mon mieux dans les services. Ma Puissance supérieure m'indique exactement ce que je dois faire à tout moment de mon rétablissement. Si je la laisse agir, ma bonne volonté me permettra automatiquement de pratiquer la Douzième Étape.

PENSER AUX AUTRES

Notre vie même, parce que nous sommes des ex-buveurs, dépend de notre souci constant des autres et de la façon dont nous pouvons leur venir en aide.

LES ALCOOLIQUES ANONYMES, P. 23

Il ne m'a jamais été facile de penser aux autres. Même en mettant le programme en pratique, je me pose des questions telles que : « Comment est-ce que je me sens, aujourd'hui ? *Suis-je* heureux, joyeux et libre ? »

Le programme m'enseigne que mes pensées *doivent* tendre vers ceux et celles qui m'entourent : « Est-ce que ce nouveau aimerait avoir quelqu'un à qui parler ? Cette personne semble un peu triste, aujourd'hui, peut-être pourrais-je essayer de la réconforter. » Ce n'est qu'en oubliant mes problèmes et en me tournant vers les autres, que je peux espérer atteindre la sérénité et la connaissance de Dieu que je recherche.

TENDRE LA MAIN

Ne parlez jamais à un alcoolique du haut de votre grandeur morale ou spirituelle ; contentez-vous de lui présenter les outils spirituels pour qu'il les examine. Démontrez-lui comment ils vous ont servi.

LES ALCOOLIQUES ANONYMES, P. 108

Quand je rencontre un nouveau, est-ce que j'ai tendance à le considérer à partir de ma propre perception de la réussite chez les AA ? Est-ce que je le compare à mes nombreuses autres connaissances dans le mouvement ? Est-ce que je prends un ton magistral pour lui faire entendre la voix des AA ? Quelle est mon attitude *réelle* à son égard ? Quand je rencontre un nouveau, je dois faire attention à mon propre comportement afin d'être certain de lui transmettre le message avec simplicité, humilité et générosité. La personne qui souffre encore de la terrible maladie de l'alcoolisme doit pouvoir trouver en moi l'ami qui lui permettra de découvrir le mode de vie des AA, comme l'ami qui m'a accueilli dans le mouvement. Aujourd'hui, c'est à mon tour de tendre la main avec amour à mon frère, à ma sœur alcoolique et de lui montrer le chemin du bonheur.

N'IMPORTE QUOI POUR AIDER

Offrez-lui l'amitié et la fraternité. Dites-lui que, s'il désire se rétablir, vous ferez n'importe quoi pour l'aider.

LES ALCOOLIQUES ANONYMES, P. 108

Je me souviens de l'immense attrait qu'ont exercé sur moi les deux membres des AA qui étaient venus me voir en réponse à un appel de Douzième Étape. Ils m'ont dit que je pouvais moi aussi avoir ce qu'ils avaient, sans restriction, que je n'avais qu'à prendre moi-même la décision de me joindre à eux sur la route du rétablissement. Quand je tente de convaincre un nouveau de faire les choses à ma manière, j'oublie à quel point ces deux hommes m'ont aidé par leur ouverture d'esprit et par leur générosité.

ASSOCIÉS DANS LE RÉTABLISSEMENT

... rien n'immunise mieux contre l'alcool que de travailler intensivement auprès d'autres alcooliques... Il faut que, jour après jour, votre protégé et vous marchiez ensemble sur le chemin du progrès spirituel... Si vous suivez les directives d'une Puissance supérieure, vous finirez par vivre dans un monde nouveau et merveilleux, quelles que soient les circonstances actuelles !

LES ALCOOLIQUES ANONYMES, P. 101 ET 113

Agir de la bonne manière et pour la bonne raison me permet de maîtriser mon égoïsme et mon égocentrisme. Je me rends compte que le fait de dépendre d'une Puissance supérieure m'apporte la tranquillité d'esprit, le bonheur et la sobriété. Chaque jour, je prie et je fais en sorte d'éviter mes anciens comportements afin de pouvoir aider les autres.

UNE RÉCOMPENSE INESTIMABLE

[Travaillez]... auprès d'autres alcooliques. Cette méthode fonctionne là où d'autres sont inefficaces.

LES ALCOOLIQUES ANONYMES, P. 101

« Vous trouverez un sens nouveau à la vie », dit le Gros Livre (p. 101). Cette promesse m'a aidé à éviter l'égoïsme et l'apitoiement sur mon sort. Voir d'autres grandir dans ce merveilleux programme et voir leur qualité de vie s'améliorer constituent des récompenses inestimables de mes efforts d'entraide. L'examen de conscience est aussi la récompense d'une sobriété continue, tout comme la sérénité, la paix et le contentement. Voir une autre personne s'engager sur la route du rétablissement et partager avec elle la joie de l'aventure me donnent une énergie telle que ma vie prend un sens nouveau.

L'HONNÊTETÉ AVEC LES NOUVEAUX MEMBRES

Dites-lui exactement ce qui vous est arrivé. Insistez en toute liberté sur l'aspect spirituel.

LES ALCOOLIQUES ANONYMES, P. 105

Ce qu'il y a de merveilleux chez les AA, c'est de ne pas avoir à dire autre chose que ce qui m'est arrivé. Je ne perds pas de temps à donner des conseils à des candidats éventuels, car si cette méthode fonctionnait, personne n'aurait besoin de se rendre chez les AA. Tout ce que j'ai à faire, c'est d'expliquer ce qui m'a procuré la sobriété et a changé ma vie. Si j'omets de présenter l'aspect spirituel du programme des AA, je manque d'honnêteté. Je dois éviter de donner une impression erronée de la sobriété. Si je suis abstinent, c'est grâce à ma Puissance supérieure ; sans elle je ne pourrais partager avec les autres.

COMPRENDRE LA MALADIE

Lorsqu'on a affaire à un alcoolique, il peut arriver – et cela est naturel – que l'on soit agacé par sa faiblesse, sa bêtise et son irresponsabilité. Même ceux qui comprennent mieux la maladie risquent encore de réagir de la sorte.

LES ALCOOLIQUES ANONYMES, P. 158

Ayant souffert d'alcoolisme, je devrais comprendre cette maladie, mais il m'arrive parfois de ressentir de l'agacement ou même du mépris à l'égard d'une personne qui ne réussit pas à se rétablir chez les AA. Agir ainsi, c'est donner libre cours à un sentiment de fausse supériorité. Je dois me rappeler que sans la grâce de Dieu, je ne serais rien.

LA RÉCOMPENSE DU DON

Car c'est bien là une forme de générosité qui ne demande vraiment rien en retour. L'alcoolique n'attend de son frère souffrant ni argent ni même affection. Et voilà que par le divin paradoxe de cette forme de générosité, il a déjà touché sa récompense, que son frère en ait profité ou non.

LES DOUZE ÉTAPES ET LES DOUZE TRADITIONS, P. 125

Grâce à la Douzième Étape, j'ai fini par comprendre la récompense qu'apporte un don qui n'exige rien en retour. Au début, je m'attendais à voir l'autre se rétablir, mais je me suis vite rendu compte que les choses ne se passaient pas ainsi. Ayant accepté de ne pas voir tous les appels de la Douzième Étape automatiquement couronnés de succès, j'étais prêt à recevoir les récompenses que procure un don désintéressé.

ÉCOUTER, PARTAGER ET PRIER

Lorsque vous vous occupez d'un homme et de sa famille, vous devez prendre soin de ne pas vous mêler de leurs querelles, pour éviter de ruiner vos chances de leur être utile.

LES ALCOOLIQUES ANONYMES, P. 113-114

En voulant aider un autre alcoolique, il m'est arrivé de céder à la tentation de le conseiller, et cela est sans doute inévitable. Pourtant, il y a avantage à laisser aux autres le droit d'avoir tort. Ce que je peux faire de mieux – et cela est plus facile à dire qu'à faire – c'est écouter, faire part de mon expérience personnelle et prier pour l'autre.

LES PRINCIPES AU LIEU DES PERSONNALITÉS

À bien y penser, la manière dont nos « dignes » alcooliques ont parfois tenté de juger ceux qui sont « moins dignes » est plutôt comique. Essayez d'imaginer un alcoolique qui en juge un autre !

LE LANGAGE DU CŒUR, P. 40

Qui suis-je pour juger qui que ce soit ? Quand je suis arrivé dans le mouvement, j'aimais tout le monde. Après tout, on allait m'enseigner une meilleure façon de vivre, sans alcool. En réalité, je ne pouvais pas aimer tout le monde, pas plus que tout le monde ne pouvait m'aimer. Pourtant, en progressant dans le mouvement, j'ai appris à aimer tous les autres, simplement en écoutant ce qu'ils avaient à dire. Cette personne là-bas ou cette autre près de moi est peut-être celle qu'a choisie Dieu pour me livrer le message dont j'ai besoin aujourd'hui. Je dois toujours me souvenir de placer les principes au-dessus des personnalités.

RÉTABLISSEMENT, UNITÉ, SERVICE

Notre Douzième Étape – la transmission du message – constitue le service de base de notre association ; elle est notre but principal et notre raison d'être essentielle.

LE LANGAGE DU CŒUR, P. 169

Je remercie Dieu pour celles et ceux qui sont passés avant moi et m'ont dit de ne pas oublier le triple héritage : rétablissement, unité et service. Dans mon groupe, il y a une affiche qui décrit cet héritage ainsi : « Prenez un tabouret à trois pattes et essayez de le faire tenir en équilibre sur une ou deux pattes seulement ». Notre triple héritage doit demeurer intact. Le rétablissement nous rend sobres ensemble ; l'unité nous fait travailler ensemble pour le bien de nos Étapes et de nos Traditions ; le service nous permet de redonner gratuitement ce que nous avons reçu.

L'un des grands cadeaux que j'ai reçu dans ma vie a été la conviction que je n'aurais aucun message à transmettre, à moins de me rétablir dans l'unité selon les principes des AA.

UNE VIE SAINE, HEUREUSE ET UTILE

Dieu, en sommes-nous venus à le croire, aimerait que nous gardions la tête près de Lui, mais que nous maintenions nos pieds solidement posés sur le sol. C'est à ce niveau que se trouvent nos compagnons de voyage et c'est sur ce plan que nous devons intervenir. Voilà où se trouve notre réalité. Nous nous sommes aperçus qu'il n'y avait rien d'incompatible entre une expérience spirituelle intense et une vie saine et heureuse employée à nous rendre utiles.

LES ALCOOLIQUES ANONYMES, P. 147

Toutes les prières et méditations du monde ne me seront d'aucune aide, si elles ne s'accompagnent d'actions. La pratique des principes AA dans tous les domaines me permet de voir le soin que Dieu prend de ma vie. Il n'apparaît dans ma vie que lorsque je lui cède la place et le laisse agir.

RÉCONCILIÉ AVEC LA VIE

Chaque jour, le souci de la volonté de Dieu doit être présent dans notre esprit et se manifester dans toute notre conduite. « Que dois-je faire pour Vous servir le mieux possible, pour que Votre volonté soit faite et non la mienne ? »

LES ALCOOLIQUES ANONYMES, P. 96

Je lis ce passage chaque matin avant de commencer ma journée, car il me rappelle constamment de « mettre en pratique ces principes dans tous les domaines » de ma vie. Avec la volonté de Dieu bien présente à mon esprit, je suis en mesure de faire ce que *j'ai* à faire, et cela me réconcilie avec la vie, avec moi-même et avec Dieu.

ACCEPTER ET LE SUCCÈS ET L'ÉCHEC

Et encore, comment réussirons-nous à composer avec ces semblants de succès et d'échecs ? Pouvons-nous les accepter, les uns comme les autres, et nous y adapter sans découragement ni orgueil ? Pouvons-nous accepter avec courage et sérénité la pauvreté, la maladie, la solitude et le deuil ? Pouvons-nous sans broncher nous contenter de satisfactions plus modestes, mais parfois plus durables, si des succès plus éclatants et plus remarquables nous sont refusés ?

LES DOUZE ÉTAPES ET LES DOUZE TRADITIONS, P. 128

Après avoir trouvé les AA et cessé de boire, j'ai mis un certain temps à comprendre pourquoi la Première Étape contenait deux parties : mon impuissance devant l'alcool et ma difficulté de vivre. J'ai longtemps cru également que pour bien pratiquer les Douze Étapes, il me suffisait de « transmettre ce message à d'autres alcooliques ». C'était aller un peu vite et oublier que les Étapes sont au nombre de douze et que la Douzième comporte, elle aussi, plus d'une partie. J'ai fini par comprendre qu'il me fallait « mettre en pratique ces principes » dans tous les domaines de ma vie. En bouclant ainsi la boucle des Douze Étapes, non seulement je reste abstinent et j'aide quelqu'un d'autre à le devenir, mais je peux également transformer mon mal de vivre en joie de vivre.

LA SOLUTION DES PROBLÈMES

Tout aussi importante fut la découverte des principes spirituels comme solution à tous mes problèmes.

LES ALCOOLIQUES ANONYMES, P. 48

Grâce à la méthode de rétablissement décrite dans le Gros Livre, j'en suis venu à prendre conscience que les conseils qui m'aident à lutter contre mon alcoolisme sont également efficaces dans beaucoup d'autres domaines. Chaque fois que je suis en colère ou frustré, je considère cet état comme une manifestation de mon problème principal : l'alcoolisme. En « reprenant » les Étapes, j'arrive habituellement à régler la difficulté, bien avant d'avoir atteint la Douzième « suggestion », et s'il reste des problèmes, je peux y remédier en tentant de transmettre le message à quelqu'un d'autre. Tous ces principes arrivent bel et bien à résoudre mes problèmes ; il n'y a pas encore eu une seule exception ! Ma vie est maintenant satisfaisante et utile.

HABILLE-TOI ET MONTRE-TOI

Chez les AA, nous ne recherchons pas que l'abstinence. Nous essayons de redevenir des citoyens de ce monde que nous avons rejeté et qui nous a rejetés. Voilà l'objectif ultime et la pratique de la Douzième Étape constitue le premier pas vers cet objectif, mais non le dernier.

RÉFLEXIONS DE BILL, P. 21

Il y a un slogan qui dit : « Habille-toi et montre-toi. » Je le trouve si important que j'en ai fait ma devise. Chaque jour je peux choisir ou non de m'habiller et de me montrer. Me montrer à une réunion m'amène à sentir que je fais partie du groupe, car alors je peux commencer à faire ce que j'ai dit que je ferais aux réunions. Je peux parler avec les nouveaux et partager mon expérience avec eux. Voilà ce que sont vraiment la crédibilité, l'honnêteté et la courtoisie. M'habiller et me mon-trer constituent des actions concrètes pour revenir à une vie normale.

LA JOIE DE VIVRE

... c'est pourquoi la joie que nous procure une vie droite constitue le thème de la Douzième Étape des AA.

LES DOUZE ÉTAPES ET LES DOUZE TRADITIONS, P. 143

Le mode de vie des AA est réellement un programme de joie ! Pourtant, il m'arrive à l'occasion d'hésiter à franchir le pas nécessaire au progrès, et je me retrouve en train de refuser les actions mêmes qui pourraient me procurer la joie que je désire. Je ne résisterais pas si ces actions ne touchaient pas un aspect vulnérable de ma vie, un domaine où l'espoir et l'accomplissement sont absents. En m'exposant constamment à la joie, j'arrondis les angles de mon ego. La joie a le pouvoir d'aider tous les membres des AA.

ANONYMAT

L'anonymat est la base spirituelle de toutes nos Traditions et nous rappelle sans cesse de placer les principes au-dessus des personnalités.

LES DOUZE ÉTAPES ET LES DOUZE TRADITIONS, P. 211

La Douzième Tradition est devenue importante tôt dans mon rétablissement et elle demeure, avec les Douze Étapes, indispensable à ma sobriété. Après m'être joint aux Alcooliques anonymes, j'ai pris conscience que j'avais des troubles de personnalité ; c'est pourquoi, le message de cette Tradition m'est apparu très clairement quand je l'ai entendu pour la première fois. J'ai à portée de main un moyen d'affronter, avec les autres, mon alcoolisme et les problèmes connexes de la colère, de la susceptibilité, de l'agressivité. J'ai vu dans la Douzième Tradition un réducteur d'ego. Elle m'a soulagé de la colère et m'a donné la possibilité de me servir des principes du programme. Toutes les Étapes, ainsi que cette Tradition en particulier, m'ont guidé à travers des décennies de sobriété. Je suis reconnaissant envers ceux qui étaient là quand j'ai eu besoin d'eux.

RÉSOLUTIONS QUOTIDIENNES

L'idée de « vivre vingt-quatre heures à la fois » s'applique principalement à la vie émotive de chacun. À ce niveau, nous ne devons vivre ni hier ni demain.

RÉFLEXIONS DE BILL, P. 284

C'est le Nouvel An ; 12 mois, 52 semaines, 365 jours, 8 760 heures, 525 600 minutes se sont écoulés. Le moment est venu d'examiner mon orientation, mes buts et mes actions. J'ai besoin de planification pour vivre une vie normale. Par contre, émotionnellement, je dois m'en tenir au cadre du vingt-quatre heures, et dans ce cas je n'ai pas besoin de résolutions du jour de l'An ! Chaque jour peut être un jour de l'An ! Je peux me dire : « Voilà ce que je vais faire aujourd'hui. » Chaque jour, je peux jauger ma vie en essayant de m'améliorer un petit peu, en décidant de faire la volonté de Dieu et en m'efforçant de mettre en pratique les principes des AA.

LES DOUZE ÉTAPES DES ALCOOLIQUES ANONYMES

1. Nous avons admis que nous étions impuissants devant l'alcool – que nous avions perdu la maîtrise de notre vie.
2. Nous en sommes venus à croire qu'une Puissance supérieure à nous-mêmes pouvait nous rendre la raison.
3. Nous avons décidé de confier notre volonté et notre vie aux soins de Dieu *tel que nous Le concevions*.
4. Nous avons procédé sans crainte à un inventaire moral approfondi de nous-mêmes.
5. Nous avons avoué à Dieu, à nous-mêmes et à un autre être humain la nature exacte de nos torts.
6. Nous étions tout à fait prêts à ce que Dieu élimine tous ces défauts.
7. Nous Lui avons humblement demandé de faire disparaître nos défauts.
8. Nous avons dressé une liste de toutes les personnes que nous avons lésées et nous avons consenti à réparer nos torts envers chacune d'elles.
9. Nous avons réparé nos torts directement envers ces personnes dans la mesure du possible, sauf lorsqu'en ce faisant, nous risquions de leur nuire ou de nuire à d'autres.
10. Nous avons poursuivi notre inventaire personnel et promptement admis nos torts dès que nous nous en sommes aperçus.
11. Nous avons cherché par la prière et la méditation à améliorer notre contact conscient avec Dieu, *tel que nous Le concevions*, Lui demandant seulement de connaître Sa volonté à notre égard et de nous donner la force de l'exécuter.
12. Ayant connu un réveil spirituel comme résultat de ces étapes, nous avons alors essayé de transmettre ce message à d'autres alcooliques et de mettre en pratique ces principes dans tous les domaines de notre vie.

LES DOUZE TRADITIONS DES ALCOOLIQUES ANONYMES

1. Notre bien-être commun devrait venir en premier lieu ; le rétablissement personnel dépend de l'unité des AA.
2. Dans la poursuite de notre objectif commun, il n'existe qu'une seule autorité ultime : un Dieu d'amour tel qu'il peut se manifester dans notre conscience de groupe. Nos chefs ne sont que des serviteurs de confiance, ils ne gouvernent pas.
3. Le désir d'arrêter de boire est la seule condition pour être membre des AA.
4. Chaque groupe devrait être autonome, sauf sur les points qui touchent d'autres groupes ou l'ensemble du Mouvement.
5. Chaque groupe n'a qu'un objectif primordial : transmettre son message à l'alcoolique qui souffre encore.
6. Un groupe ne devrait jamais endosser ou financer d'autres organismes, qu'ils soient apparentés ou étrangers aux AA, ni leur prêter le nom des Alcooliques anonymes, de peur que les soucis d'argent, de propriété ou de prestige ne nous distraient de notre objectif premier.
7. Tous les groupes devraient subvenir entièrement à leurs besoins et refuser les contributions de l'extérieur.
8. Le Mouvement des Alcooliques anonymes devrait toujours demeurer non professionnel, mais nos centres de service peuvent engager des employés qualifiés.
9. Comme Mouvement, les Alcooliques anonymes ne devraient jamais avoir de structure formelle, mais nous pouvons constituer des conseils ou des comités de service directement responsables envers ceux qu'ils servent.
10. Le Mouvement des Alcooliques anonymes n'exprime aucune opinion sur des sujets étrangers ; le nom des AA ne devrait donc jamais être mêlé à des controverses publiques.
11. La politique de nos relations publiques est basée sur l'attrait plutôt que sur la réclame ; nous devons toujours garder l'anonymat personnel dans la presse écrite et parlée de même qu'au cinéma.
12. L'anonymat est la base spirituelle de toutes nos traditions et nous rappelle sans cesse de placer les principes au-dessus des personnalités.

INDEX